王朔——著

一半是火焰 一半是海水

北京出版集团公司
北京十月文艺出版社

目录

空中小姐

一

我认识王眉的时候，她十三岁，我二十岁。那时，我正在海军服役，是一条扫雷舰上的三七炮手。她呢，是个来姥姥家度暑假的初中学生。那年夏初，我们载着海军指挥学校的学员沿漫长海岸线进行了一次远航。到达北方那个著名良港兼避暑胜地，在港外和一条从南方驶来满载度假者的白色客轮并行了一段时间。进港时，我舰超越了客轮，很接近地擦舷而过。兴奋的旅游者们纷纷从客舱出来，挤满边舷，向我们挥手呼喊，我们也向他们挥手致意。我站在舵房外面用望远镜细看那些无忧无虑、神情愉快的男男女女。一个穿猩红色连衣裙的女孩醒目地出现在我的视野。她最热情洋溢，又笑又跳又叫又招手，久久吸引住我的视线，直到客轮远远抛在后面。

这个女孩子给我留下的印象是这样鲜明，以致第二天她寻寻觅觅出现在码头，我一眼便认出了她。我当时正背着手枪站武装更。她一边沿靠着一排排军舰的码头走来，一边驻足入迷地仰视在桅尖飞翔的海鸥。当她开始细细打量我们舰，并由于看到白色的舷号而高兴地叫起来时——她看见了我。

“叔叔，昨天我看见过这条军舰。”女孩歪着头骄傲地说。

“我知道。”我向她微笑。

“你怎么知道？”

“我也看见了你，在望远镜里。”

女孩兴奋得眼睛闪着异彩，满脸红晕。她向我透露了她的心头秘密：她做梦都想当一名解放军战士。

“为什么呢？”

“戴上红领章红帽徽多好看呀。”

女孩淳朴的理想深深感动了我。那个夏天真是美好的日子。女孩天天来码头上玩，舰长破例批准她上舰。水兵都欢迎她，领她参观我们引为自豪的军舰，我让她坐进我的三七炮位里，给她扣上我那沉重的钢盔，告诉她，炮管子虽然不粗，但连续发射起来，火力相当猛烈。我们海军几次著名的海战，都是以三七炮为主力干的，出过很多英雄炮手。

“那，叔叔，要是你碰上敌人，你也会成战斗英雄啦？”

“那自然。”

女孩和我的逻辑是简单的，十分有理的。

一天傍晚，女孩在我们舰吃过饭，回家经过堤上公路。忽然海风大作，波涛汹涌，呼啸的海浪跃过防波堤，漫上了公路。一时，沿堤公路数百米水流如注，泛着泡沫。这在海港是常见的，女孩却被凶暴的波浪吓坏了，不敢蹚水而行。我们在船上远远看到她孤单单、战兢兢的身影，舰长对我说：“嗨，你去帮帮她。”我跑到堤上，一边冲入水里，一边大声喊：“紧跟我！”女孩笑逐颜开，模仿着我无畏的姿势，勇敢地踩进水中。我们在水势汹涌的公路上兴高采烈地迅跑着。当踏上干燥的路面时，女孩像对待神一般崇拜地看着我。我那时的确也有些气度不凡：蓝白色的披肩整个被风兜起，衬着堪称英武的脸，海鸥围绕着我上下飞旋。恐怕那形象真有点叫人终生难忘呢……

后来，暑假结束了，女孩哽咽着回了南方。不久寄来充满孩子式怀念的信。我给她回了信，鼓励她好好学习，作好准备，将来加入到我们的行列中来。我们的通信曾经给了她很大的快乐。她告诉我，因为有个水兵叔叔给她写信，她在班级里还很受羡慕哩。

五年过去了，我们没再见面。那五年里，我们没日没夜地在海洋中游弋、巡逻、护航。有一年，我们曾驶近她所住的那座城市，差一点见上面。风云突变，对越自卫反击战爆发，我们奉命改变航向，加入一支在海上紧急编组的特混舰队，开往北部湾，以威遏越南的舰队。那也是我八年动荡的海上生活行将结束时闪耀出的最后一道光辉。我本来期待建立功勋，可是，我们没捞到仗打。回到基地，我们舰进了坞。不久，一批受过充分现代化训练的海校毕业生接替了那些从水兵爬上来的、年岁偏大的军官们的职务。我们这些老兵也被一批批更年轻、更有文化的新兵取代。我复员了。

回到北京家里，脱下紧身束腰的军装，换上松弛的老百姓衣服，我几乎手足无措了。走到街上，看到日新月异的城市建设，越发熙攘的车辆人群，我感到一种生活正在迅速向前冲去的头晕目眩。我去看了几个同学，他们有的正在念大学，有的已成为工作单位的骨干，曾经和我要好过的一个女同学已成了别人的妻子。换句话说，他们都有着自己正确的生活轨道，并都在努力地向前，坚定不移而且乐观。当年，我们是作为最优秀的青年被送入部队的，如今却成了生活的迟到者，二十五岁重又像个十七八岁的中学生，费力地迈向社会的大门。在部队学到的知识、技能，积蓄的经验，一时派不上用场。我到“安置办公室”看了看国家提供的工作：工厂熟练工人，商店营业员，公共汽车售票员。我们这些各兵种下来的水兵、炮兵、坦克兵、通信兵和步兵都在新职业面前感到无所适从。一些人实在难以适应自己突变的身份，便去招募武装警察的报名处领了登记表。我的几个战友也干了武警，他们劝我也去，我没答应。干不动了怎么办？难道再重新开始吗？我要选择好一个终身职业，不再更换。我这人很难适应新的环境，一向很难。我过于倾注第一个占据我心灵的事业，一旦失去，简直就如同一只折了翅膀的鸟儿，从高处、从自由自在的境地坠下来。

我很彷徨，很茫然，没人可以商量。父母很关心我，我却不能像小时候那样依偎着向他们倾诉，靠他们撑腰。他们没变，是我不愿意。我虽然外貌没大变，可八年的风吹浪打，已经使我有了一副男子汉的硬心肠，得是个自己料理自己的男子汉。我实在受不了吃吃睡睡的闲居日子，就用复员时部队给的一笔钱去各地周游。我到处登山临水，不停地往南走。到了最南方的大都市，已是疲惫不堪，囊中羞涩，尝够了孤独的滋味。

王眉就在这个城市的锦云民用机场。她最后一封信告诉我，她高中毕业，当了空中小姐。

二

我没认出她，她一直走到我身边我也没认出来。

我在候机室往乘务队打电话，她的同事告诉我，她飞去北京，下午三点回来。并问我是她爸爸还是她姐夫，我说都不是。放下电话，我在二楼拣了个视界开阔的座位，一边吸烟，一边看楼下候机室形形色色的人群和玻璃墙外面停机坪上滑动、起降的飞机；

看那些银光闪闪的飞机，像一柄柄有力的投枪，直刺蔚蓝色的、一碧如洗的天空。候机楼高大敞亮，窗外阳光灿烂。当一位体态轻盈的空中小姐穿过川流的人群，带着晴朗的高空气息向我走来时，尽管我定睛凝视，除了只看到道道阳光在她美丽的脸上流溢；看到她通体耀眼的天蓝色制服——我几乎什么也没看到。

“你不认识我了？”

“我真的不认识了，但我知道是你。”

“那么我是变丑，还是变美了？”

“别逼着我夸你。”

她在我身旁坐下。我依然凝视着她，她也紧盯着我。

“我没能像你希望我的那样，当海军。”

“没什么。”我说，“你瞧，我自己也不是了。”

“真的，我远远一眼就认出你的脸，可我还是犹豫了一下。我怎么也想象不出你不穿水兵服是什么样。是这个样！”

“我也想象不出，所以常照镜子。”

“走吧。”

“干吗？”

“我给你安顿个地方，然后……去找你。”

“好好聊聊？”

“嗯，这地方太吵，太显眼。”

“你是说找个没人的地方，安静的地方？”

“嗯。”

我们双双站起身，我仍不住地端详她。

“干吗老看我？”

“我在想，有没有搞错。”

真的，真叫人难以置信，她长大了，而我也没长老。

王眉把我领到招待所，给我吃，给我喝，还洗了个舒畅的热水澡。晚餐我吃掉一大盘子烧肉芥蓝菜，然后把香蕉直塞到嗓子眼那儿才罢手。我感到自己像个少爷。

“跟你说，我真想吃成个大胖子。”

饭后说是好好聊聊，实际上是名副其实的胡扯。王眉带了她的一个名叫张欣的女伴，光笑不说话，频频偷偷瞧我。她们俩勾肩搭背坐在我对面，不时互相会意一笑。我搞不清王眉什么动机，掩人耳目还是不忍抛下好朋友一个人在宿舍？或者……

她问起我们舰其他人的情况，真真扫了我的兴。我告诉她，都复员了。我不想谈过去，穷途末路的人才对过去眷恋不已。可不谈过去，就没的说。她们告辞，美其名曰让我早点休息。我一怒之下决定，明天回家。不料王眉又一个人转回来，告诉我一句话，当着张欣的面没好意思说。

“我那年到你们舰玩的时候，有个最大愿望你猜是什么？”

“变成男孩。”

“还当我的女孩，但要长得和你一样大。”

“这办不到。”我笑着说，“你长我也长。”

“不对，你长不了个儿啦。”

我改主意了，住下去！

三

我始终捞不到机会和王眉个别谈一会儿。白天她飞往祖国各地，把那些大腹便便的外国佬和神态庄重的同胞们运来运去。晚上，她花插着往这儿带人，有时一两个，有时三五个。我曾问过她，是不是这一路上治安情况欠佳，需要人做伴？她说不是。那我就不懂了。她的同事都是很可爱的女孩，我愿意认识她们，可是，难道她不知道我迫切希望的是和她个别谈谈吗？也可能是成心装糊涂。她看来是有点内疚，每次来都带很多各地的时鲜水果：海南的菠萝蜜，成都的橘子，新疆的哈密瓜，大连的苹果。吃归吃，我照旧心怀不满，难道事情颠倒了个儿，我成了小孩？我在无人陪伴的情况下，像野地孤魂一样在这个急遽繁荣的城市乱遛。有一次乘车转了向，差点到了郊区的海军码头，我抹头就慌慌张张往回跑。我不愿再看到那些漆着蓝颜色的军舰，我会像个二傻子，穿着老百姓衣服瞪着眼睛瞧起来没完，让那些刚穿上军装的小年轻儿笑话。

台风出其不意地登了陆，拔树倒屋，机场禁航。王眉来了，我精神为之一振——她是一个人。穿着果绿色连衣裙，干净、凉爽。可她跟我说的都是什么鬼话哟，整整讲了一天英语故事。什么格林先生和格林太太不说话。格林先生用纸条告诉格林太太早晨六点叫他，而他醒来已是八点，格林太太把“嗨，起床”也写在了纸上。罗伯特先生有一花园玫瑰。当一个小淘气要用一先令一大把卖给他玫瑰时，他不肯买，说他有的是。小淘气说：“不，你没有，你的玫瑰都在我手上。”……我抗议说我根本听不懂洋文，王眉说她用汉语复述，结果把说这种废话的时间又延长了一倍。我只好反过来给她讲几个水兵中流传的粗俗故事，自己也觉着说得没精打采。

“你别生我的气。”王眉说，“我心里矛盾着呢。”

她告诉我，我才明白，原来她在“浏览”我。她不在乎家里有什么看法，就是怕朋友们有所非议，偏偏她的好朋友们意见又不一致，可以说壁垒分明哩。那天张欣从我这儿走后和她有一段对话：

“我很满意。”

“你很满意？”王眉大吃一惊。

“我是说，我作为你的朋友很满意。”

而另一个和我聊得很热闹的刘为为却一口咬定：

“他将来会甩了你。”

我不知道她凭什么如此断言。我好像也没对她流露什么，只是当我说起我当武警容易些，她问我是否会武，我随口说了句会“六”。

王眉走后，我蓦地觉得自己不像话。我又不是怡红公子那号情种，连自家表妹都敢玩命地追，居然还演成佳话，简直是对我国婚姻法有关条款的嘲弄。从明天起，我还是恢复本来面目，做个受人尊重、稍带崇拜的大哥哥吧（叔叔是无论如何做不成喽）。

第二天，持续大雷雨。王眉又来了，又是一个人，鬓上沾着雨珠，笔直的小腿湿漉漉。我端着的那副正人君子样儿一下瓦解。时光不会倒流，我们的关系也不会倒退。而且，天哪！我应该看出来，什么也阻止不了它迅猛发展。

“我跟你说，你甭暗示意会。你要不明明白白说出来，白纸黑字写出来，我决不动心。”

后来，这事还是成了悬案。我一提这事，阿眉便大度地说：“就算我追你还不成。”言下其实是我追的她，还觉悟很低，愣不承认。我往往只好嘟哝着说：“反正我当时就是被糖弹打中的感觉。”总而言之，那一下子间的事情是说不清了，没什么道理可讲。

“你知道我现在最大的愿望是什么？”

“什么？”

“临死前，最后一眼看到的是你。”

“小傻瓜，那时我早老了，老得不成样子。那时，也许你想看的是孩子。”

“不会的不会的。”

四

叫我深深感动的不是什么炽热呀、忠贞呀、救苦救难之类的品德和行为，而是她对我的那种深深依恋，孩子式的既纯真又深厚的依恋。每次见面她都翻来覆去问我一句话：

“你理想中，想找的女孩是什么人？”

一开始，我跟她开玩笑：“至少结过一次婚。高大、坚毅，有济世之才，富甲一方。”

后来发觉这个玩笑开不得，就说：“我理想中的人就是你这样的女孩，就是你。”

她还总要我说，第一眼我就看上了她。那可没有，我不能昧着良心，那时她还是个孩子，我成什么人啦。她坚持要我说，我只得说：

“我第一眼就看上了你。你刚生下来，我不在场，在场也会一眼看上你的。”

每天晚上她回乘务队的时候，总是低垂着头，拉着我的手，不言不语地慢慢走，那副凄凉劲儿别提了。我真受不了，总对她说：“你别这样好不好，别这副生离死别的样子好不好，明天你不是还要来？”

明天来了，分手的时候又是那副神情。

我心里直打鼓，将来万一我不小心委屈了她，她还不得死给我看。我对自己说：干的好事，这就是和小朋友好的后果。

有一天晚上，她没来。我不停地往乘务队打电话，五分钟一个。最后，张欣和刘为为骑着单车来了，告诉我，飞机故障，阿眉今晚耽搁在桂林回不来了。

我很吃惊，我居然辗转反侧睡不着。不见她一面，我连觉也睡不成，她又不是镇静药，怎么会有这种效果？我对自己入迷的劲头很厌恶。我知道招待所有一架直拨长途电话，就去给北京我的一个战友关义打电话。他是个刑事警察。我把电话打到他局里。

“老关，我陷进去了。”

“天哪！是什么犯罪组织？”

“换换脑子。是情网。”

“谁布的？”他顿时兴致高起来。

“还记得那年到过咱们舰的那个女孩吗？就是她。她长大了，我和她搞上了。我是说谈上了。”

“你现在不在北京？”他刚明白过来。

“你知道我当年是光明正大，一片公心。”

“现在不好说喽。”

“你他妈的少废话。”我骂他。

“你是不是因为革命友谊蜕化成儿女私情，有点转不过弯来？”到底是老朋友，一箭中的，“告诉你，这是合理的结果，没人说你。你是老百姓，这是生活的重要内容之一。是正当的，无罪的。连我也在勾搭女同事呢。”

“得啦，你回去审你的犯人去吧。”

“喂喂，”他叫住我，“你妈妈给我打过好几次电话，问你的下落。你总不能长在她身上。”

他说得对，我不能长在别人身上。正确的方式，应该回去工作、挣钱，然后等阿眉够岁数娶过来。他说得对，我是老百姓，干吗不当个快快活活的老百姓哪？这才是我的本来面目。我刚生下来的时候，也不是个光屁股水兵。

还有一个问题，我放心不下。阿眉请我在该市那家有名的冰室吃冷食时，我问她；

“经常有乘客试图勾搭你们吗？”

“无故搭讪的，大有人在。”

“过于无理的怎么办？让打吗？”

“不让，回避。”

“溻着他臊着他也不行吗？”

“都不行，还要格外多送清凉饮料。”

“小姐的身份，丫环的命。”

“就是。”

“还喜欢干这行吗？”

“喜欢。”停了一下，她说，“别担心我，我不会的。”

我充满信任地乘阿眉服务的航班回北京。我在广播上客之前进了客舱。阿眉给我看她们的厨房设备。我喜欢那些锃亮闪光的器皿，不喜欢阿眉对我说话的口气，她在重演当年我领她上舰的情景。

“别对我神气活现的。”我抱怨说。

“才没有呢。”阿眉有点委屈，“过会儿我还要亲手端茶给你。”

我笑了：“那好，现在领我去我的座位。”

“请坐，先生。提包我来帮您放上面。”

我坐下，感到很受用。阿眉又对我说：“你还没说那个字呢。”

“噢，谢谢。”

“不是这个。”

我糊涂了，猜不出。上客了，很多人走进客舱，阿眉只得走开去迎候他人。我突然想了起来，可那个字不能在客舱里喊呀。

飞机很陡地升空，升到万米，开始平稳飞行。窗下白云滚滚，似波涛起伏，阳光直射进机舱，光彩斑斓。

阿眉在前厨房忙碌着，把饮料倒进一只只杯子，我不时可以看到她天蓝色的身影闪动。片刻，她端着托盘出来，嫣然一笑，姿态优雅，使人人心情愉快。只有我明白，她那一笑是单给我的。

空中气象万千的景色把我吸引住了。有没有乘船的感觉呢？有点。不断运动、变化的云烟使人有飞机不动的感觉——同驶在海洋里的感觉一样。但海上没有这么单调、荒凉。翱翔的海鸟，跃起的鱼群，使你无时无刻不感到同活跃的生物界的联系。空中的寂寥、清静则使人实在有几分凄凉。我干吗总把什么都同海联系在一起呢，真是吃饱了撑的！我不是海军，干吗总夸耀自己爱海！又不是只我一个人见过海。

云层在有力、热烈地沸腾，仿佛是股被释放出的巨大能量在奔驰，前挈后拥，排山倒海。我晕机了。

五

阿眉个头确已和我基本匹配，但她心理远未成熟。若是不怕她不爱听，我可以说她的感情掺了其他的成分，我是指她在“爱”中掺了过多的“崇拜”。五年前的感受、经验，仍过多地影响着我们的关系。她把我看成完人，这不免给我带来许多不便，因为我不是完人；她把我认作强者，这更糟糕，会苛求我。她能做的事，我不能做；她能说的话，我不能说；闹了别扭，责任统统归我。

还有，不管她怎么惹我，我也不能揍她。

我得承认，开头那几个月我做得太好了，好得过了头，简直可以说惯坏了她。我天天泡在首都机场，凡是她们局的飞机落地，我总要急煎煎地堵着去就餐的乘务员问：

“阿眉来了吗？”

知道我们关系的刘为为、张欣等十分感动，不知底细的人回去就要问：

“阿眉，你欠了北京那个人多少钱？”

如果运气好，碰上了阿眉，我们就跑到三楼冷饮处，坐着聊个够。阿眉心甘情愿放弃她的空勤伙食，和我一起吃七角钱的份饭。她还说这种肉丸子浇着番茄汁的份饭，是她吃过的最香的饭。

这期间，有个和我同在海军干过的家伙，找我跟他一起去外轮干活。他说远洋货轮公司很需要我们这样的老水手。我真动心了，可我还是对他说：

“我年龄大了，让那些单身小伙子去吧。”

“你靠上个什么样儿的软码头？”他蔑视地乜着眼问我。

我说：“反正比那些海鲜要有味得多。我现在十分惜命。”

“你再小心，就是一天一盒‘龟龄集’，也是个死在老婆怀里的没出息的家伙。”

“滚你妈的，你这个早晚喂王八的小子。”我脸红脖子粗地回骂。

现在，对我来讲，最幸福莫过于飞机出故障，不是在天上，而是落到北京以后停飞。而且机组里还得有个叫王眉的姑娘。每逢此种喜事临门，我便挎个筐去古城的自选食品商场买一大堆东西，肩挑手提，领着阿眉回家大吃一顿。我做菜很有一套，即：

一概油炸，肉、鱼、土豆、白薯、馒头，统统炸成金黄，然后浇汁蘸糖，绝不难吃。就是土坷垃油炸一下，我想也会变得松脆可口。阿眉也深信这一点。有一次，关义来我家，看到我从厨房出来，简直不相信自己的眼睛。我戴顶小白帽，穿件去掉披肩和肩章的水兵服，系着花围裙，才好看哪。

“别像个傻子似的看我。”我拍他肩膀乐呵呵地说，“待会儿尝尝咱的手艺。”

我爸爸妈妈对阿眉不反感。现在老人要求不高，带一个姑娘就可以，总比一个没有或是带一大串回家要强。

我和阿眉是分开睡的。

六

阿眉喜欢逛商场，喜欢穿花衣裳，喜欢看电影。我只喜欢看电影——我们就常去看电影。一般情况，她到北京时间都很晚，我们不能进城去电影院看，便在我们大院的操场上看露天电影。那个星期六刚好有班机飞北京。因我已不那么神经病似的天天跑首都机场，所以，飞机落地后，她一人坐车到的我家。正巧我扛着椅子要去看电影。问她，她自然也要去。往操场走的路上，她说，她在往北京飞来的一路上想：要是我在机场里等她就好了。可一下飞机，我不在。

“那是自然的。”我说，“我又不是你肚子里的蛔虫，哪知道你今天会飞来。”

她不吭声，撅着嘴，说北京冷。

电影开映后，她又说冷。我把外套脱给她，她还说冷。我说：“再脱我可就光膀子啦。”

电影放完后，她不理我了。我哄了哄，哄不过来，在梦里还一直纳闷。

早晨，她到我屋里来问我："我的香水你放哪儿啦？"（她在我家放了一套化妆品。）

"喝了。"

她笑了，瞟我一眼。我把香水找出来，一边往她头发上喷了几滴，一边问她：

"昨晚生我气了？"

"嗯。"

"为什么？"

"你不理我。"

"还怎么理你？你说冷，我不是连衣服都给了你？"

"我也没叫你非把衣服给我。我说冷，只是想听你几句暖话。"

我觉得自己很笨，这么简单的名堂都没闹清。我第一次羡慕起那些这方面的大师们。

后来，我送她去机场的路上，她告诉我，实际上，她这些天都很不开心。上次来北京过夜回去，飞机带了几家报纸的纸型和一些文件。可她和那个男朋友也在北京的乘务员光顾高兴了，飞机落广州时，两个神魂颠倒的姑娘忘了卸纸型，又给拉到香港兜了一圈。耽误了南方几家报的出版不说，因为有文件，还造成一次不大不小的"失密"。那个姑娘是乘务长，受了个处分。阿眉也被批了一顿，还查出一些不去餐厅吃饭，客人没下完，自己先跑掉等违反制度的事情。

"过去我还从没有，嗯，很少挨这么厉害的批评呢。"

"那么说，这笔账应该算到我头上。"

"我没说。不过……"她小心翼翼地看看我，"我以后要少进城，少来你家。”

“可以呀。”我沉着地说。

我能说什么，她是有道理的。我应该早就明白，她可以要求我做的事，我却不能要求她做。因为这里面有个差别，有个大不同的地方：她是有重要工作的。这工作重要到这种程度：只能它影响我，我却不能影响它。

还有一个萦绕她心头的阴影她没说，那就是对同伴受处分的内疚。像阿眉这样单纯的女孩很容易把自己应负的部分责任夸大。正是这种内疚心情，使她觉得有必要牺牲一些个人欢愉来偿付。

我有过这样的经验。我还是新兵的时候，水土不服，浑身起荨麻疹。有人说吃饺子可以治，我们一帮北方佬就天天吵着吃猪肉大葱饺子。因为训练忙，没人帮厨，炊事班长就借驱逐舰上的和面机用。用不惯，把一条胳膊绞了进去。那些天，我像罪犯似的抬不起头，以为全是我的过错。在我们码头，常有一些赶海的女孩找当兵的说笑。那些天，我连这些女孩的笑声都十分厌恶。天哪！她会不会也有点厌恶我呢？

“我只是想不通。”她在几千里以外对我说。

“我来帮你分析分析。”我像个半瓶子醋政委热心地对着话筒说，“什么问题搞不通？”

“你。”

“我？”

“为什么我觉得你好像是另一个人呢？”

这真叫人恶心！

“这么说，还有一个长得和我很像的人喽。”

“别开玩笑，跟你说正经的呢。你跟过去大不一样。”

“过去我什么样？”我茫然地问，“三只眼？”

“过去，你慓悍潇洒。歪戴着帽子，背着手枪，站在军舰的甲板上，我第一眼就爱上了你。那时我总想，你心里一定充满着什么我不知道的、遥远的、美好的东西。而现在，我一眼就看得穿你心里有什么。”

“我心里只有你。”

“你还成了个胖子。”她嘟哝着。

“你嫌我胖不体面是不是？”

多么典型的“迷惘的一代”。我气红了耳朵，又叫又吼：

“我教你个重温旧梦的法儿，随便拣个海军码头遛遛，你会碰见成千上万歪戴着帽子、晒得黢黑的小伙子，可心挑吧。”

她在电话里哭了。

我说过，崇拜性的爱情不纯洁、不牢靠。

七

她们机场连着出了两次事故。一个水箱没扣上，起飞时，一箱开水都浇到坐在下面的乘务员头上。一架飞机着陆时起火，烧死一些人，乘务员从紧急出口跌出来，摔断了腰椎。阿眉的情绪受了一些影响。这段时间，她的信是忧郁的，总是告诉我一些不吉利的事，什么飞“伊尔—14”门总在空中自行开启；“三叉戟”落桂林总是冲出跑道。我们言归于好。你想，她随时处在危险中，我怎么好意思和她赌气。我又重新以一个强人的形象出现，写信安抚她，告诉她一些我经历的危险。我曾经划着舢板在风暴来临前的海上迷向；有一次在海滩上投手榴弹，一枚弹片打进我屁股。阿眉喜欢我的这些信。因为我们很久未见面，这些信在她的想象中修补和恢复了我的形象，我也不想找麻烦，就随他“高大”去。阿眉开始问我：

“摔死了不说，要是我摔伤了，你还要我吗？”

“当然。”前海军英雄怎么能当陈世美，“我会养你一辈子。”我信誓旦旦。

“你拿什么养，用嘴？”

我发觉落入了她的圈套。我都忘了，我还没有工作呢。在她眼里，我一定像个全靠祖上荫庇的员外。

关义来看我，也大惊小怪地问：“你还像蟹似的寄居在别人壳里？”

怎么，我爹妈还没烦，你们倒都来抱不平。

他很担心我。他最近审的几个案子，碰上过去的战友，这叫他很尴尬，觉得脸上无光，令人痛心。他认为很多人都是闲坏的。

我由“安办”分配去了个工厂，试用期未满，就被炒了鱿鱼。我抱着档案回到“安办”，那个经办我的女同志苦恼地问我：

“你说个工作类型，我给你想办法。”

“少干活，多拿钱；不干活，也拿钱。”

我被赶回了家。

我悻悻地给阿眉写信：“不用等你摔死，我恨不得先跳海。”

八

我没冷清多久，父亲回家和我就伴。他老得不中用，人家叫他离休了。我和他开玩笑：

“您也当‘作（坐）家’了？”

“我功德圆满。您呢？”他倒毫不含糊地把我划了出去。

过去我在家里还是有些地位的，如今日趋下降。我老兄的地位直线上升。他比我早一年从海军退役，在一家建设银行工作，属于“直接参加社会主义建设”。他受到领导信任，单独掌管一个国家重点建设项目大发电厂的拨款计划。他经手上亿元人民币，像淌海水似的花银子（当然是花在建设项目中）。本人也像亿万富翁般神气活现，东奔西跑，指手画脚，在家里过着衣来伸手、饭来张口的问心无愧的日子，还时不时忍不住冲我们这些赋闲的主儿哨一炮。我真看不惯。

九

阿眉给我回信，没发怒。看来她对我的那些鬼话，也学会了左耳进，右耳出。用她的话讲：

“我才不生气呢，我要生气，早气死了。”

她给我写了七八篇洋洋洒洒的大道理。什么“青年人应该向上，应该生活在奋斗的旋涡里”。“不要暮气沉沉，更不能陷入……庸俗（看来这个词她是煞费了苦心）”。因为我从中学就听熟了这本经，所以还能平心静气看下去。看到后来，我简直气昏了。她提到我们的将来，提到困扰着她的现实的忧虑：飞行队要保障每个空勤人员生活安定，照我目前的境况，即便到了婚龄也不能批准我们结婚，除非她停飞。可是，她说她热爱飞行。飞行生活除了有优厚的报酬外，还使她有一种自豪感；使她觉得对人人有用；使她觉得自己是国家在精神面貌和风范方面的一个代表。她不能舍此全部仅仅换取我一个人的感情，我又是那么一个人（什么人她没说，意思很明白，一个没用的人，一个废物）。再后面是一大串喃喃的、甜甜蜜蜜的表白，算是打了一巴掌后的几揉，要我相信她纯粹是出于好意，或曰：出于爱我。

我的第一个反应是震惊，接着脑子迷糊了，最后是拍案而起，冷对镜子，让我再来看看我是个什么人吧！镜子里，是个胖子，又白又暄的那种胖子，爱吃油炸东西，爱洗澡，爱睡觉，不爱动。那么，这个胖子是否打算死皮赖脸纠缠别人呢？这个胖子不打算。胖子给空中小姐回了信，表示松手、请便。胖子还语无伦次地说："难酬蹈海亦英雄。"说到空中小姐的"光辉事业"时，挖苦味就出来了。胖子最后说，他对目前自己的生活状况很满意。

我说的都是气话，其实，我心里很难受。我做梦也没想到我会变得这么令人讨厌。阿眉，你了解我的过去，不该触我现在的痛处。

夜里，我又回到波涛汹涌的海上。

十

晚上，我和爸爸相依为命地坐着看电视。中央一台是一群拘谨的孩子在比赛看谁能把地理课本倒背如流。中央二台是一个钻在纯属子虚乌有的科研项目中、不知北在哪边的所谓科学家和一个举止颇为轻浮的美人的风流故事。北京台则是个胖老头在教观众如何用西瓜皮做菜。

阿眉来了，她现在是稀客。我仍旧坐着看电视，听她和我哥哥在隔壁房间对着吹，一个吹电厂，一个吹飞机，吹得都够"段位"。我又看了会儿电视，才走过隔壁房间。阿眉一个人在看我扣在桌上的书。我关上门，她仍低头看书，我走近才发现，她在啜泣。

“我是好意，难道你不知道？”她说。

“知道。”

“难道我不该开诚布公和你谈吗？难道我们之间还用忌讳什么吗？”

“确实什么也不用。”

“那你干吗那样对待我？”

我哑了。

“你还说‘不再连累我’。你这样做就高尚了，就是为我好了？你这样做更叫我伤心。”

“我以为……”

“什么你以为。”阿眉蛮厉害地打断我，“我什么时候说过嫌你，不要你了？我连想都没想过。我就是觉得我有责任‘提醒’你。我有没有这个责任，这个权利，你说你说！”

我被逼无奈，只得说：“有。”

“有你干吗不接受？还反过来骂我。”

“小点声，别让我家人听见。”

“你还要面子呀，我还以为你早浑得什么都不在乎了。”

“你别打人呀。”

“打你白打，我恨死你了。”

尽管我又挨了小嘴巴，局面是缓和了下来。

“别照了，没打出印儿。”阿眉这话已是带笑说了。

“下不为例啊。”我正色对她说。

“我收到你的信，哭了好几天呢。”

提起旧话，阿眉仍是眼泪汪汪，委屈万分。

“我不该写那个信。”我认错，“收到你的信，我也挺气……”

“你气什么？”阿眉怨恨地说，“给谁看，谁都会说我是好心好意。”

“你不该给我讲大道理。”我说，“大道理我懂得还少吗？参加革命第一天起……”

“那我什么都不说就叫好呀？”

“你不用说，我心里都知道。你希望我成什么人我还不知道？你不说我认为你是体贴我、了解我。你别以为我舒舒服服，无牵无挂，我受的压力够大，别人都觉得我没用……”

说到这儿我也委屈了，说不下去。阿眉的心思都被我开头几句话牵去：

“我不说，你也知道我心里想什么吗？”

“还不是想我出人头地，封妻荫子。”

“错了，这是你自己的想法。不过能这么想我也很高兴。”她反问我，“你想我什么呢？”

“我想你做个温柔、可爱、听话的好姑娘，不多嘴多舌。”

“好，我做。”

第二天在机场，刚开始广播上客，我绷不住了，原形毕露。我想我对阿眉说话时眼圈一定都红了：

“什么时候还来？”

“有机会就来。”

“常来，别又让我老长时间见不着你。”

“你想我想得厉害？”阿眉挺得意。

我吞吞吐吐，终于说：“厉害极了。”

当她的飞机升上蓝天，向南一路飞去，我茕独地穿过光可鉴人的大厅走向外面空旷的停车场时，我们的关系发生了巨大的、根本性的、不可逆转的变化——她对我的个人崇拜结束了。虽然她在工作中仍不免有小差错，飞海口忘带供应品，渴了众乘客一路；早上起晚了，慌慌张张出差没施妆，被总局检查组扣了几分；但她终归还是个有缺点的好乘务员。而我虽然待在家里除了摔破个把碗再没犯别的错误，也还是个没人要的胖子。那么，我身上的光晕消逝后，爱情是不是更朴实、更清澈了？没有，她又倾注进了大量别的感情成分。

她怜惜我，对我百依百顺，还在物质享受上反过来惯惯我。

“瞧我抽的免税美国烟，瞧我喝的日本免税酒。”

我四处跟人吹她。

每到发薪的日子，我和我的老战友们仍按部队的传统，找家馆子大开一顿，吃吐血了算。他们找了各式各样的老婆，唯独没有空中小姐。

“有一次飞机起飞，一箱开水折在她脑袋上（我把别人的事安在她头上）。瞧这照片看得出烫过吗？”

“好像更新了。”旁人捧场。

“有一次李谷一坐飞机，她们故意放朱逢博的歌。”

“朱坐飞机呢？”

“就放李的歌。”

“你怎么配有这种福气？”旁人听着太玄，不禁怀疑。

我想了想，也没什么过硬理由，只得说：“前世修的呗。”

十一

这星期，阿眉几乎天天飞北京，因为这星期排班的分队长是她干姐姐。

除了照例很多吃的外，她又给我带了几本书。小心看着我脸色说：

“我也不知道你看过这几本书没有，我觉得挺好看的。”

我翻了翻，说：“这几本书我都背得出来了。”

她叹口气，怪没劲地把书装回自己包里。

我不忍看她失望。第二天在公共汽车上，我骗她：

“我打算写书啦。”

她的眼里立时放出光来（多么势利）。

“我考虑来考虑去，走这条道比较便宜。描写水兵生活的嘛，基本还是空白。”

她的眼睛几乎是充满柔情了。

“现在关键是缺一个把整个故事串起来的线索。嗯，很伤脑筋。”

我像一个真正作家那样装出副呆呆痴想的傻相。可是，老天，她温柔得不正常啊。

“姑娘，您抓的是我的手。”

站在我身旁的一个老头一边从扶手上抽回自己枯瘦的手，一边歉意地对阿眉说。

阿眉羞红了脸。

她干吗那么当真呀！

十二

“你太累了，别这么拼命地飞，要注意身体。”我心疼地对阿眉说。

“我负担重呀，要多挣点小时费。”她顽皮地冲我一笑。

她确实飞得太猛了，简直是马不停蹄地在空中飞来飞去。有时在北京过站，匆匆跑下来看我一眼，又匆匆跑回去飞走。吃饭也经常不能正点正餐，吃几块点心就得上客干活。春季广交会期间飞机加班很多，她常常搞到夜里十二点才回宿舍，第二天一大早又要进场准备。她瘦了，脸上出现疲劳的神色。尤其叫我过意不去的是，她几次突然进城，都碰上我早早睡了，没一点写书的样儿。

“我评上‘优秀乘务员’了。”她兴高采烈地对我说。

“真不容易。”我替她松了口气，“我瞅着你都累坏了。”

她刚从广州来，又要去沈阳，然后折回去。

“你该不是又想当‘三八红旗手’？”

“想当呀，还想入党，还想办飞国外的护照呢。”

啊！我真是爱她。

我跟阿眉讲：“过去，我才叫在英雄沿儿上呢。大炮一开，就是功臣，可惜！现在这太平年月不出英雄。”

“你怎么知道不出？”她不平地问。

“我没见过，也没瞅见谁像。”

阿眉叫我不要太担心她身体。她下个月就要去杭州疗养，所以近期排的班多一些，飞的多一些，一扛就过去了。

“我懂，这就像小毛驴拉磨，卸套前，赶着它多跑几圈。”

十三

民航疗养院坐落在风景区九溪口，倚屏风山，临钱塘江，清晨凭窗便可见悠悠江水东去。沿九溪路向山里逶迤行去，溪水潺湲，竹林修茂，山坡俱是郁郁葱葱的茶园。据当地人讲，这一带的茶园便是闻名遐迩的龙井上品“狮峰龙井”。外行人看那暗绿色的茶叶子是看不出名堂的，不过前面数里之遥确是正宗的“龙井村”。村里盖了许多俗气摆阔的新楼房，显然这两年村里很出些富裕户。阿眉说她还是喜欢那些粉墙乌瓦、古朴的老房子，我也有同感。

阿眉到杭州不久，我也欢天喜地自北京南下。不消说，春日杭州甚是宜人。柳绿桃红，伉俪游湖。品茶、吃鱼（阿眉像只猫似的爱吃鱼），惬意得很哪。杭州旅游办得不错，我们时常乘旅行社的车出游，对浙南一望无尽的金黄油菜花和绍兴头戴毡帽、手扶舵脚摇橹的农民，以及莫干山浓雾缭绕、湿漉漉的毛竹林，都有深刻印象。

阿眉胖了。是在她同餐桌一个老飞行员的督促下胖的。那老头总说：“我吃什么，你就吃什么，错不了，都是富于营养的。女孩胖一点好看。”老头是个食肉兽。

阿眉现在对我不太尊重，总是动手动脚，我是说，总是揍我。每次分手时，非占点小便宜，扇我个耳光再走。有次把我打火了，追上去在她背上打了几拳，把她打哭了。两天没出疗养院。我在杭州城里也玩厌了，就在九溪附近找了个地方住下。

我去疗养院找她。在九溪镇上碰见个卖冰糕的，买了一大把，进她的房间时腮帮子都冻木了。她一见我，笑了（我就知道她不记仇）。

“给我找点热水喝。”我把剩下的两只冰糕递给她。

阿眉舔着正在融化的冰糕，拿起一只暖瓶摇了摇：“没水了，我给你打去。”

她一阵风似的跑出去。

这时，她同房间的空中小姐进来，学究气地拿着本书。我没见过这个人，猜是她的“瓷器姐姐”薛苹，是个分队长之类的小头目，我哈了哈腰，以示尊敬，她却拿挺大的眼睛瞪我：

"你就是阿眉的男朋友？"

"你好。"

"我不好。"她蛮横地说，"我早就想跟你谈谈啦——你怪了不起的呀！"

"没有呀。"我挺窘，又一时搞不清她火从何来。

"你害得阿眉老偷偷哭，我看为你不值。"

阿眉拎着满满的暖瓶跑回来。那位小姐没再说下去，气哼哼地走了。我估计她也不爱看阿眉对我的"巴结"相。

"王眉。"我也气哼哼地说，"你在你们乘务队都给我造了什么坏影响？"

"没有啊。"

"你瞧你们屋这主儿，对我多凶，好像我怎么虐待过你似的。"

"没有没有。我在她们面前一直都是说你好。"她笑着对我说。

我接过她递给我的杯子，一边喝水一边往窗子下面看，看到那姑娘和一个身材魁梧的飞行员从庭园走过。

"那是她朋友吗？"

阿眉挨着我，伸长脖子往下看了一眼："嗯，长得怎么样？"她扭头问我。

"不同凡夫。"

"他对薛苹可好啦。"

"我对你不好吗？"

我瞪起眼睛问阿眉，她撅起嘴：

"你老欺负我，还打我。"

"你还打我呢。"

"我使你那么大劲了吗？你打得我后背现在还疼呢。"

我笑了，离开窗子，又吃了几块她喂的糖，想起什么，问阿眉：

“你老偷偷哭哇？”

阿眉脸有点红，没说话。

“为什么？”

“还不是为你。”她冷不丁又说，“昨天，我们疗养院的人给我算了一卦，说我不宜找五十里以外的人。”

“胡说八道。你信吗？”

“有点信。”她把头扭向一边。看我很久没话，问，“你想什么呢？”

“想孔老二的话：‘唯女子与小人为难养也，近之则不逊，远之则怨。’”

十四

苗头不对呀，阿眉开始和我较上了劲儿。我说什么，她总跟我戗着。同样，她说什么，我也跟她戗着。唇枪舌剑，明哂暗讽，旁人听着，如同冤家。我觉得薛苹对我不利的话影响了她。不知什么原因，薛苹竟独出心裁地认为我是个“拆白党”。当然她不知道我过去也还“十分了得”，那你说我是饭桶也罢了，何苦把这么个屎盆子往我头上扣。她对阿眉讲：“要是你这些优越条件都没了，他还会跟你好吗？”言下我是去分享阿眉的空勤待遇。这颇伤了我的自尊心。我想，也许善良的张欣不会如此诋毁我。有一天，我趁阿眉不在房间，偷看了张欣给她的信，谁知信中也对我颇多微词。而令我不快几至齿冷的竟是从信上看去，阿眉本人也十分动摇。张欣信中有一句话破坏性极大：“你什么样人找不到？”这句话精确地击中了要害。阿眉的确大可不必吊死在我这棵树上。我知道，有形形色色的人在追她，其中一部分高档货色，我绝对难以匹敌。我只是侥幸得了风气之先。实际上，倘我不是我，我也要劝王眉把胖子蹬了，另觅佳婿。

王眉坐在镜前施妆，细细地、无微不至地像做功课，这倒也确是她们的功课。

“得啦，薄点行了。别把脸弄得像外国人的膈肢窝。”

她立时跟我翻了脸，把粉扑子一摔：

“你就一点好听的都没有，嘴跟粪缸似的。真不愿理你了，告诉你。”

“随便说一句你也急。”

“你以为你说的是什么好听话是不是？我就因为受你影响，有时和别人说话也带个脏字出来。人家都说我，原来你不这样说话呀，怎么变成这样？我说，总有人教，能不变吗？”

“对，你跟我净学坏了，一点好也没学。”我退后几步坐在床上。

“你别坐人家床上。薛苹不喜欢别人坐她床。”她冲我尖叫。

我站起来抽烟，把烟向窗外连连喷去。抽第三支时，一直用眼睛看着我的阿眉，温和地开口说：“你会得肺癌的。”

“我就是准备得肺癌。”

我噎她一句。可能是窗外江水来处夕阳西下的情景触动了我，我忽然有几分心酸。王眉也默默地不说话。我回身看她一眼，心里十分有气：

“喂，我死你高兴吗？”

“你说我高兴吗？”

“我不知道。”

“不高兴。”

“能再嫁人还不高兴？”

“我现在也没嫁给你呀。”

她像一只碰见狗的猫，露出自卫的神气。

“你甭跟我瞪眼睛。”我指着她脸说。

“瞪了怎么着？”

“掐死你。”我把烟扔掉，走近威胁她。

“你敢——”

她不服地挺直上身，但气焰还是略低了一低。我走到窗前往下看了看，还好，楼下庭园里没人。

“我不怕你。”她赌气洗着一副扑克牌（像是算卦那副），嘴里嘟嘟哝哝，“你还别跟我耍二百五。”

“我也不怕你。”我对她说，“你脾气大，我比你脾气还大。”

“我有什么对不起你？”她冲我喊，“什么没给你？你还想要什么？还想要什么？”

我恨的就是这句话。

“不许喊。”

“就喊，啊——”

我冲过去，扬手要打。门一响，一个来找王眉的女孩呆呆站在门口，接着转身跑了。我退回窗户。

阿眉大失面子，含着泪发狠地洗牌，说：

“你还要打我，我妈妈都没打过我，你倒打我打上了瘾。你再动我一下试试，非跟你拼了。”

“你别没完啊。”

“没完怎么着？”她居然攥起小拳头，“不爱待你滚。”

“这可是你说的。”

我摔门而去。她在后面哭出了声。

十五

梅雨季节到了，春水泛滥，道路、小桥都被涨满的溪水淹没。屏风山终日锁在烟雨朦胧中，织锦般的油菜花也大片浸在碧汪汪的水中。笔直、美丽的水杉林，绿荫初张的梧桐树都是翠生生、湿淋淋的。即使空中有云无雨，林中树下也无时不飘萦着细密的水丝、氤氲的雾气。

我打着伞，一个人在江边看滔滔浑浊的江水、冒雨静静行驶的驳船。有人来到我身后，我回过头，是阿眉。她穿着红色的雨靴，打着把红色尼龙伞，鬓上挂着晶亮的水珠。我想起我们刚好的时候，她天天冒雨到招待所找我。

天空放晴的一天，张欣飞来杭州，给阿眉带来很多东西，里面有不少还是阿眉给我买的烟和饮料。为了做给别人看，我们又暂时和好了。我们一起去的笕桥机场。当着张欣和同机来的刘为为，我们说笑正常，在一刹那，我们忘了曾经发生的不愉快。

从机场出来，我们还在武林门赁了辆三轮车，冒雨在西湖玩了一圈。在天香楼吃饭时，我跟王眉说，我要生炒甲鱼。我猜她是开玩笑，没有恶意，但还是撕裂了伤口。她说：

“你配点菜吗？我吃什么，你就跟着吃什么吧。”

我霍然变色。

阿眉窘了，慌了，脸儿涨得粉红。虽然她连忙跟我解释，她不要甲鱼是因为炒得太生，还是带骨的，很腥，怕我这个北方人吃不惯，而且她也要了甲鱼。气氛还是破坏了。

后来，我也做了试图恢复快活气氛的努力，说她吃鱼是“暴殄天物”。可她没笑。

我们终于明白，那种心无芥蒂、无拘无束的融洽感，已经一去不复返。

九溪路上，人迹罕见。山林风鸣雨吟，泉水瀑布似的倾泻谷底，汇流而出。清澈的溪流在道旁奔腾，溪底茂密的水草被冲得直刷刷伏倒。山阴道十分幽远。

“昨晚，薛苹给我讲了件事。她家那儿有个女孩，自己做了杆火药枪，把她男朋友打了个满脸花。她躲在墙角，那男的走过来，她面对面举起枪，‘啪’地打了过去。”

阿眉绘声绘色，我听了十分不快，“为什么这样干？”

“他不理她了。”阿眉拖着长声说，瞟我一眼，“将来我也做支枪……”

“咱们别开这玩笑好不好？”我连忙打断她。

“你是不是也不想要我了？”

我没直接回答，只是说：“那也别动兵器，可以给我吃药。”

“你乖乖吃吗？”

“当然不。”

我笑了，忽然感到一阵不舒服，真是无聊。昨天，我收到北京的一封信。我的好朋友关义受到流氓的报复，被打伤住院了。信里没详说他的伤有多重，但我明白，歹徒们对一个落到他们手里的民警是不会留情的。我很难过，我和关义从小学到中学一直是同学，又一同参加了海军。在新兵连他当过我的班长，在舰上，我当过他的班长。在那些岁月中，我们曾共同面对种种危险。为了我，他不惜一切。那次，我在海上迷了向，就是他驾着摩托艇及时找到了我。为了他，我也会毫不犹豫地付出生命。那枚要命的手榴弹就是他掷失了手的，我冲过去摔倒他，自己屁股上吃了一下。复员后，我们可以说分道扬镳了。他迅速转到另一条战线。而我，我也不知道这一年多究竟干了什么。

两个笑声清脆的女孩踩着溪中的石头在戏水。我们走过时，她们和阿眉打招呼。她们也是来疗养的乘务员。我注意到其中一个裤腿绾得老高的女孩眉眼酷似阿眉。

“我想过了。”遥遥望见“溪中溪”亭阁的飞檐时，阿眉怯生生地望着我说，“你就这么待着吧。你觉得怎么好就怎么过吧。我养着你。”

“你养我？岂不是颠倒鸳鸯！”

“我不怕别人说。过去我也想要你非同凡响一些，和别人比的时候能超过他们。现在我不想了，没这些也可以。多数人的生活不也是碌碌无为的吗？”

“我不要你养我。”

“我愿意养你。我们现在伙食费发给个人了，这样我每个月就能拿二百来块钱，够我们俩花了。我们可以安安稳稳地过日子。你不是希望我做个贤妻良母吗？”

你错了，阿眉！你完完全全搞错了。我现在希望听到的，可不是这些话。

轮到我对你失望了。

我们在“溪中溪”的敞厅上喝了半天茶。最后我终于对她启齿说道：

“我看，我们还是算了吧。”

“我觉得我和她好像是同性——”

“什么意思？”

薛苹柳眉倒竖。我没想到她会这么快打上门来。我和阿眉吹了，不是正合她心思吗？干吗还像一只哺乳期的母狼那样恶狠狠地看着我。我正在收拾东西，不想和她废话。

“相斥呗。就是说总搞不到一起去，像裤兜子里放屁——两岔的。”

“少跟我来你们水兵那套粗话。”

“直说了吧，我回去要干淘粪工啦。我可不想连带她也臭烘烘的，国家还要靠你们点缀门面哪。”

我忽然对阿眉涌起一阵轻蔑感，她并没惹我。薛苹语气有些变化，意外地缓和下来：

“你跟阿眉说过吗？”

“我没告你吗？我跟她是——两岔的。况且她根本做不了自己的主。”

薛苹仍然和气，甚至带有几分惋惜地说：“你以后可能再也找不着比阿眉更好的姑娘了。再考虑考虑。”

“我想通了，娶谁都是娶。”

“你他妈的真是个畜生。”

薛苹破口大骂。她是义务兵出身，骂起粗话来不亚于任何人。

十六

回到家里，我有一种痛苦的解脱感。我只好用“痛苦”这个词。我从杭州走的那天，在九溪镇等公共汽车时，碰见了清晨出来跑步的王眉。她和几个女孩沿江走过来，看到我就站住了。当时，太阳正冉冉升起，霞光万道，我看不清她的眼睛，但我有一种预感，她有话要对我说。她仿佛立刻要走过来，对我说一句很重要的话。后来，车来了，我上了车。在车上我回头看她，视线相遇时，她身子一抽搐（的的确确是抽搐）。我觉得我就要听到她喊了，而且我下意识地感到，倘她喊出来，我会立刻下车，那就是另一种变化了。可她没喊，车开走了。一路上我都在想，她要对我说的是什么？

我父母是很久后才察觉到我生活中的变化。妈妈装作漫不经心地问我（爸爸埋头看报，耳朵却支棱着）：

“王眉怎么很久不来我们家？”

我简短说了一句：“我把她休了。”

我用同样的口吻跟躺在卧床的关义讲时，他叹了口气，也没说什么。但我看得出来，他对我这种骄傲的“自我表现”很不以为然。他想什么，我全知道；可阿眉想什么我不知道。她究竟要对我说什么呢，那最后的一句话?

后来，我把她忘了，或者说好像忘了。我没有勇气那么当真地去干淘粪工，而是在一家药品公司当上了农村推销员。经常下乡奔波，条件很艰苦。住大车店里，要随身带根绳子把衣服晾上，光屁股钻被窝，早上起来把虱子扑落干净，再穿上衣服出门。有的地区还要自己背着炉子和挂面，否则，吃了不法小贩的不洁食品，拉稀会一直拉得你脱肛脱水。我的一个很强壮的同事就是那么拉死的。

两年过去，我已经到了只得胡乱娶一个媳妇的年龄。我没再见过王眉，也没得到过她的音讯。有一年，我在北京火车站看见一个女孩背影很像她，我没追上去看，因为她绝不可能出现在北京站。即使是休假、公出，民航也给她们飞机乘的。还有一次，我坐缓缓出站的火车和一列天津方向开来的火车相错而过时，有个从车窗往外看的女孩和我对视了半天，直到递次而过的车窗远去。我真的以为那是王眉了，但由于如上的原因，我最终认定是自己看错了人。

关义像对他的民警工作一样起劲地给我介绍女朋友。他认识一些漂亮姑娘，都是“失足女青年”，改正了的。他认为使她们从良，最终过上正常生活才是一劳永逸的治本之道。他的爱人就是这样一位姑娘。他很尊重她，待她非常好。说实话，有时在他家感受到的真正动人的夫妻感情竟会使我热泪盈眶。我这人轻易不说人好，往往大家说好我还偏要挑挑骨头。可是关义，我的老朋友，我要说他身上始终保持着我们第一次驾船出海时所共有的那种最强烈、最纯洁的献身精神。

他也给我介绍了一位这样的姑娘。我努了力，但终于忍受不了她习惯性流露的轻佻口吻以及那总是罩在我心头的淡淡迷惘，像走进一幢布局复杂的房子，本来想进这间屋子，却走进了另一间屋子。吹掉了。不管怎么说，在我身上我们原先那种精神，是大大减弱了的。

有时我倒想起薛苹的话：“你以后可能再也找不着更好的姑娘了。”

可我的嘴仍是茅厕的石头。

“其实王眉并没有多好。”我对关义说。那天，我刚在几个山区县卖掉十万片四环素，风尘仆仆回到北京。由于超额完成了计划，领导加了我这个月的奖金。我很高兴，晚上去关义家吃饭，同时看看他可爱的妻子为他生下的大胖小子。

“这是你积了德的结果。”那孩子确实让父母自豪，我快要嫉妒死了，“我本来应该走在你前面，老关。王眉叫我的希望落了空。”

“你干吗和她吹？因为她太单纯？”关义那位因单纯遇祸，又因单纯得福的妻子问我。

“因为她太小。太小就有这么个现象：天生的缺点样样不少，该养成的优点没有及时养成。懂吗？总是一副没头脑的样子……”

“你不要侮辱别人。”关义粗暴地打断我的话。他边吃饭还在边看一份报纸，上面有一些密密麻麻的名字，可能是某个委员会或主席团的名单。这周，好像有几个民主党派在开全国代表大会。

“我没见过她，不过我想是你对她太苛刻。”关义的妻子看了眼甜睡的婴儿，因委婉地批评了我而歉意地微笑，“我坐过一次飞机，空中小姐给了我很好的印象。在飞机上我得了晕动病，吐个没完，她们给我盖上毛毯，清理秽物，始终那么殷勤，都使我不好意思起来。”

“她们就是干这个的。”

“所以我觉得不简单嘛。我想她们一定经过最严格的挑选。我坐一回飞机都有点提心吊胆，生怕那家伙摔下来。她们却要长年累月在上面干活，肯定得是最有勇气、最有胆量的女孩才能胜任。像过去口号里总说的那样：一不怕苦；二不怕死；三不怕脏；四不怕累。得有点……精神。”

她羞怯怯着重说了最后一句，看了眼她的爱人。那话好像是引用关义的话。他们两口子没事议论这个干吗？我哈哈笑起来：

“你把她们神秘化了。实际上,她们是最普通最普通不过的人，像你我一样。说到一不怕苦，她们可不能算苦，待遇是拔尖的第一流的。说到二不怕死，没有可靠的安全保障，她们才不上天哪，她们并不比乘客多一分危险。她们那种舒适的工作环境培养不出超人的气质。只有艰苦的、真正充满生死考验的生活才能造就具有英雄气概的人物。比方说边防军人、外勤警察——你丈夫那样的人……”

“我不爱听你这些讨人嫌的话。”关义再次不客气地打断我的话，“她们是有勇气的。比起你我来，她们有超出我们不知多少倍的可能遇上劫持、机毁人亡等意外事故，也就是你说的‘生死考验’——你看看这份报纸吧。”

“出了什么事？”我接过报纸，展开。心里涌起不祥的预感。

“你这些天没看报，也没看电视？”

“没有，我刚从人迹罕至的地方回来。”

“民航摔了一架飞机，撞在山上，机组和乘客全部罹难。”关义说，“机组名单上有你过去的女朋友。”

王眉！我看到密密人名中这两个字，清晰、无误。

阿眉殉职了！泪水涌出我的眼睛。旧日的情景如歌，重新响起……

我回到家里，不慎打破一个瓷罐，里面的东西滚了一地。都是些放在抽屉里就会搞丢的小玩意儿：民航航徽，不锈钢小飞机饰物。都是阿眉遗留下的。我以为我这儿已没她的一点痕迹，那些甜蜜的信我都烧掉了，可我烧不掉记忆……我仍然爱她。我怎么能再回避这个事实！那天晚上，电视新闻里关于空难事故的最后报道是载运死难者遗骸的飞机抵达锦云机场。电视屏幕上出现飞机在夜色中降落；悲痛欲绝的乘客亲属和戴着黑纱的民航空地勤人员围着抬下的担架哭泣的镜头。我感到那冲镜头滑来的飞机的十数只轮子如同从我心上轧轧驶过。我看到人群中薛苹、张欣、刘为为等熟面孔，她们哭成了泪人儿。我的心碎了。

夜里，不论我醒着还是入梦，阿眉无时不在和我相亲相近，和我悄嗔谑笑，和我呢喃蜜语。鲜艳俏丽，宛如生时。有一刻，我仿佛真的触到了她娇嫩的脸颊，手里软和和的，暖融融的。后来，她哭了，说起她那被伤害的感情，说那原是一片痴情。她又要说什么，张张口又咽了回去。我蓦地全身痉挛了。我又身处在九溪镇那行将启动的公共汽车上，她有一句重要的话没对我说就要走。我伸手抓她，抓了个空，我醒了。

我擦去横溢入耳的泪水，紧张地思索起来。如果说过去我是凭直觉感到她有重要的话要对我说，那么现在，我几乎可以肯定，她是的的确确有话要对我讲，还是句对我生死攸关的话。是什么话呢？我想来想去想不出头绪，看来只有问她本人才能清楚。我又睡着了。早晨醒来，第一抹阳光照射到我床头时，我如梦方醒——我已经永远不可能再见到阿眉。

我给单位打了电话，告诉他们，我这周补休了，就动身去首都机场。

十七

我在二楼国内航班安全检查口外面的沙发圈里坐下。所有国内航班过站和到站客机的机组人员，都要走这个口出来去三楼餐厅吃饭。中午前后，是锦云机场北飞客机落北京最集中的时候。

大厅里不停广播着各地到站飞机的航班号和飞机号，透过大玻璃窗可以看到那些飞机在停机坪上滑行。机械臂似的客桥自动与客机舱门吻合，潮水般的旅客通过自动走道，从一楼的出口出去。一些飞行员和乘务员从二楼检查口出来。我走过去问两个从广州飞来的航班下来的乘务员是哪个乘务队的，她们说是北京乘务队的。我走回沙发圈。又过了一会儿，在一架刚刚飞走的波音飞机的空当上，一架“三叉戟”滑了过来，接上客桥。我留心听了航班号，确认这架飞机的机组是锦云乘务队的无疑。客人下光后，先出来了几个飞行员，闷声不响地走过。接着，几个面带忧伤的空中小姐也出来了。我看见薛苹。

我迎着她走过去。她略一怔，便扭过脸和别人说话，从我身边绕过去。我叫她，她只好站住，十分不快地望着我。

“算了，你先吃饭去吧。”我灰心地对她说，“吃完我再找你说句话。”

我蹒跚地走回沙发圈坐下。她呆了呆，也垂着头走了。我想，不到再次上客，她不会出现了。十分钟后，她回来了，手里拿个花卷儿，在我面前停下。

“你有什么话要说？”

“我迫切希望知道两年前我从杭州走后阿眉的情况。”

“你凭什么，有什么权利要知道？阿眉早就跟你没了关系。在我眼里，你是个陌生人。”

重新提起了阿眉，我们都有些歇斯底里。

“我有理由。我要知道一句话。那年，在最后的时候她要对我说却没说。”

“我知道那句话，她对我说了。”

“你知道？”我激动极了，“告诉我。”

“她说，她错了。她后悔了，不该总是让着你，反倒让你这个没人味的东西，蹬着鼻子上脸把她甩了。”

我犹如兜头浇了一桶冰水，心都凉透了。沉默了一会儿，我坚决地说：

“不是这句话。她要跟我说的不是这话。”

“确实不是这句话。”薛苹淡淡地说，“这句话是我说的。”

“我恳求你告诉我真实的情况。”

薛苹说了。

“从杭州回来，阿眉几乎变了一个人，不笑不闹，沉默寡言，只是要飞行。不管队里哪个人提出什么站不住脚的理由不飞，她都主动替飞。哪怕对方是和她吵过嘴、谁也不理谁的，也不例外。甚至‘安—24’飞三亚这样又长又辛苦的航线，平时避之唯恐不及，现在也抢着飞。她历来，从来乘务队第一天起就晕‘安—24’的，这样大小时量的不要命地飞，吐得真是骇人。人明显憔悴了。

“队领导一开始看她刚疗养回来，就放心安排她飞。后来发现不对头，她身体消耗太厉害，也有点看出阿眉情绪上的变化。找她谈，她什么都不说。问我，我也不便妄自汇报，毕竟这是私人的事，而且她也跟我说过别把这事捅出去，她的自尊心受不了。这期间，我们机场有个很不错的小伙子追她。给她写来长长的、热情的信，约她出去，她却像木头人一样无动于衷。我曾私下问她，是不是还忘不掉你这个浑蛋？她说不是，说早就把你忘了，只是情绪还有点转不过来。有时候，梦里醒来，还觉得心寒。她说——这确实是她说的，我没有添枝加叶——她因为太想和你好了，结果反而好不成。

“我想她的意思是指她对你的无原则迁就。我全知道你们之间闹的那些破事，最细微的情节都知道。你表现得像个无赖，而阿眉呢，也做得不好，像个资产阶级小姐。我对她讲，应该去见见那个小伙子，总要再嫁个什么人，况且这个小伙子比前面那位强上百倍。阿眉只是说不想见，就是不想见。她对你还抱有幻想，真是傻得不能再傻了。你把话说得那么绝，她当然是无法再给你写信。而你，你也真的一封哪怕露出一点试图挽回意思的信，一封信都没有。

“立冬后到春节前，有个短暂的萧条，去一些风景城市的机票打了折扣仍不满客。阿眉的身体越来越糟，再这么搞下去，非停飞不可。队领导便研究决定利用这个不太忙的空隙安排她探次家。那天是队长跟她谈的。在飞成都的航班上。我也在场。因为我忙着给客人开饭，没注意他们还谈了什么。好像队长跟她说这样下去不行。国家培养一个空勤人员要花一大笔钱，不能因为一点小事就自己把自己毁了。大概批评得很厉害，我开完饭回来看见阿眉哭了，哭得很伤心。从杭州回来，阿眉一次也没哭过，虽然她是很娇气的姑娘。那次是第一回哭，也是唯一的一回，后来没再哭过。就是那次哭，也不是为你哭。是为了别的，比你更重要的东西，怕失去那些更重要的东西，想起爸爸妈妈禁不住哭的。她妈妈对她非常疼爱，阿眉是她最小的女儿，本来是掌上明珠。那时，恐怕也只有她妈妈能抚愈她的伤口……你算是把她伤透了。

“她在家里待了一个多月，假期满后又续了几天。在家里大概是把疙瘩都谈开了。阿眉回来时，像阳春三月的晴天那样开朗明媚。我真为她高兴，尤其是她告诉我她又有了个男朋友，我更高兴！这说明她完全从你粗暴地加在她身上的打击中恢复了过来。这对她意味着什么？意味着她又可以开始新的、更美好的生活。我还要特别着重地谈谈她那新的男朋友。他叫沈同平，是一个非常好的青年，一个优秀的海军飞行员。对阿眉情真意切，一点没有社会上某些青年矫饰做作、妄自尊大的恶习。人长得也是身材高大，仪表堂堂，比你强多了。我们乘务队所有见过他的人都认为他和阿眉是天造地设的一对，极为般配。

“他给阿眉带来了欢笑，带来了对生活的信心，对工作的热情。阿眉考上了天津民航学院的英语进修班，在天津学习了一年。对，她经常周末坐火车来北京玩，寒暑两个假期也是在北京度过的。你不要瞪大眼睛，她告诉过我，她在火车站碰见过你。她说这话时很平静，一点不冲动。她像一颗进入正常轨道的星，始终在自己的位置上稳稳地运行，不再受任何引力的干扰，放着自己晶亮的光芒，同其他无数星一起织成夜空璀璨的星幕，直到陨落下来……”

仿佛突然袭来一道强光，薛苹用手蒙住了眼睛。片刻，她镇定下来，接着说：

“她入了党，追认的。出事的头天晚上，她跟我说，后天小沈从北京回来，她要跟我换飞北京，去接他。我答应了她。那天，我跟她一起坐车进停机坪。我去上海，她去桂林。她要我给她买上海的奶油瓜子和酱油瓜子回来嗑着吃，我要她买桂林的板栗回来煮着吃。我从上海买回了她要的瓜子，她却一去没回头。晚上，他们机组没回来，飞机也没回来，传言却起来了。我们飞行队的人都慌了，不知出了什么事，问调度值班室，他们也不说。我一夜没合眼。第二天，头班飞桂林回来的机组带回了昨天一架飞机撞山的最初消息，说桂林已动员了军队和民兵进山搜索。接着，民航领导飞来了，报纸、电台都证实了飞机失事的消息。

“可能你们听到那里摔了一架飞机，上百人丧生，只是嗟叹一阵，或者骂两句民航人员太差劲，草菅人命，也就罢了。可我们就不同了，别说是我们自己的飞机摔了，死者里有我们最好的朋友，就是不相干的外国摔了一架飞机，我们也要难受好久。夜里在被窝里哭完，白天还要上飞机哟。还是一天一天，一年一年地飞下去。

“遗体运回机场那天你看电视了吗？成百上千的人都哭了。哭的人各有各的原因，我是为阿眉哭的。她太年轻了，不该死呀！她活着还会对我们国家有很多用，她还没有尝尽人生的欢乐。还没有孩子。为什么不让一个废物去替她死？有很多混吃等死的废物在愉快地活着，白白消耗着社会的财富，譬如你。”

“我不是废物，你不能随便侮辱我。”

“可能你现在不是了，可过去有段时间你确实是。”

“那么说，阿眉到最后也没再提起我什么？”

“没有。你在她生活中不再占任何位置了，她忘掉了你。她跟我说的最后的话是想念小沈，是要一包瓜子。对了，她还说过要我做她的入党介绍人。那是出事的前几天，她们共青团员旁听我们的党课时，她悄悄跟我说的。”

“可她确实是有话对我说呀。”我绝望地大叫。

“如果你坚持认为她最后有话对你说，那我想，也无非是要说你是个废人。”

“可能这是你对我抱的至死不变的看法，但阿眉不会。她比你了解我，所以我们过去才相爱。”

“粉碎她对你的好看法的，正是你自己。不仅如此，你还重重打击了她的生活信念。”

我不想再和薛苹吵了，旁边很多人看我们。便问她：

“最后那几天，除了你，还有谁常和阿眉在一起？”

气咻咻的薛苹一边往安全检查口走去，一边说：“张欣，她和阿眉是形影不离的好朋友。”

十八

第三天，我看到张欣从检查安全口出来。她和阿眉同龄，都比薛苹小几岁，因而也更脆弱一些，更不容易从打击中恢复过来。她简直还带着满脸泪痕，眼睛红肿，盈盈欲滴，低着头看脚尖走路。这次，我决定等她吃完饭回来再找她谈，免得像上次薛苹那样激动得饭都没吃好。张欣很快又一个人回到大厅。看来没我刺激，她也吃不下多少饭。她蔫蔫地在商店区转了转，我注意到她并没有认真去看琳琅的商品。离上客时间还早，她在我邻厢的沙发圈里坐。我走过去，看到她闭着眼睛仰在沙发背上。我叫她，她睁眼认出我后，红了眼圈。

看来她并不像薛苹那样对我怀有恶感，也许我可以从这点上获得些希望。因为，如果说薛苹是阿眉思想上、生活上的志同道合者和保护人，张欣则是她的一个不分你我、情同骨肉的密友。她更容易接触到阿眉某些不欲见人的心底秘密。

“你说你觉得阿眉最后有话要对你说。那我先问你，你现在对阿眉究竟是，是什么态度呢？”

“我——”我不是羞于启齿，而是不知道我现在还有没有这个权利，还配不配说这个话。我还是对张欣说了：“我爱她。”

“她，我告诉你，她也一直爱着你。”

我简直都不敢相信自己的耳朵。要知道，从和薛苹谈过话后，我已对此无望。张欣再三说：

“她是一直爱着你的。”

“等一下。”我哽咽一声，撇下张欣，赶忙跑进最近的一间男盥洗室。我几乎都不能再次走出来。可是我还有话要问。我把自己泪水纵横的脸搞干净，走回沙发。

“把情况告诉我，把阿眉说过的每一句话告诉我。”

“在人前阿眉从不哭的，可是背地里她常暗暗饮泣，都是在夜深人静的时候，甚至是梦里。我和她一个宿舍，有时一觉醒来，发觉她在小声哭，过去看她，她是在做梦，我就把她摇醒。她从家里回来，表面上没事了，正常了，实际上她的性格有了变化。过去她是嬉笑无心的，现在却敏感得不行，戒备得不行。和我还算好，可也不像过去那样无所不谈、无话不讲。有次她在前面走，我和几个人在后面说话，说的完全是跟她不相干的人和事，说到好笑处我们都笑了。等我追上她时，她的脸色已经变了，问我刚才笑谁呢？我说了我们在笑谁；她却说我们在笑她。我说没有笑她，我还说了句气话：'我们笑你干吗？'她生气走了，以后见着就不理我了。我找她问为什么不理我。我发誓说那天我们没有说她，我还哭了。她才跟我说，是她的不对。她总怕再受人家骗，和她假好，所以谁都不敢信了。

"我也不知道你是怎么回事，既然你说你还爱她，那我就要问你当时干吗那么干？你多伤人。阿眉跟我说，你不要她，可能是因为嫌她幼稚，在有些方面，在你感到困难的时候不能像个有经验的女人那样帮助你。说实话，这你太不公平，阿眉至少也为你做了一些牺牲，有些牺牲连我都未必做得到。你又不是没有缺点的人。阿眉和我谈到你的缺点时，一直都是体谅你，并不计较的。可能她有时爱咬个尖儿、撒个娇，惹你心烦了，这不是因为她信任你、和你好吗？你对她招之即来，挥之即去，一点不珍惜。现在再说爱、再难过又有什么用？

"可能你也听说了，她后来又找了个朋友，小沈，她家给她介绍的。但她不是心里一点波澜不起就顺顺当当接受下来、适应过来的。一开始她都不让我们见那个人。小沈一来，她就领着他躲得远远地说话。其实小沈经常来来往往坐我们飞机，我们很多人都见过他。大概是小沈太好了——那个人真是特别好。阿眉又总觉得对人家不起。她也想对小沈好些，偏偏你又像个阴影似的老影响着她，阿眉是很纯情的。我跟她讲，这样吊着不好，要不，就跟小沈谈清。她不肯去。有次小沈来了，我去跟他谈的。我告诉他，阿眉过去有个朋友，本来感情很好，可后来那个男的没理由地把她甩了。阿眉伤了心，有些不敢轻易再相信别人。小沈的回答让人十分感动。他要我告诉阿眉，天下的好人是多数。不要因为一个人的缘故，对所有同志、朋友都疏远了，不信任了。如果说那个人——指你——用事实证明了有些人是不堪信任的，不值得去爱的；那么，他也要用事实证明还有一些人是值得信任的，是懂得珍重感情的。他又亲自找阿眉摆开了谈了谈。那以后，阿眉和他好了起来，真心实意地好了起来。

“小沈是个相当坦荡、胸怀开阔又能细致入微地体贴他人的人，是个真正的男子汉。他和阿眉之间真正做到了赤诚以待，肝胆相照。阿眉碰到的任何为难和偶尔涌起的茫然心情，在他那里都会得到合情合理的忠告和意志坚定的感染。同时，小沈又是个富有生活情趣的人，有幽默感，有孩童心。不怕你不舒服，阿眉和你关系好的时候，有时回来，也要生生闷气。可和小沈好起来以后，是她笑得最多的日子。她就像净水洗过的玻璃器皿，重又晶莹透明了。

“阿眉出事后，小沈刚好第二天要从北京回来。本来是薛苹的班，她怕由她把阿眉的死讯告诉小沈，不飞了，是我飞的那班。飞机在北京上客后，我看见高高兴兴的小沈，他还什么都不知道呢。他给阿眉带来了一纸箱鸭梨，让我给放到行李舱，还笑着让我随便吃。那天还有一些死者家属乘那班飞机南去，在飞机上哭哭啼啼，我的心情乱极了。我把他安排在前舱，悄悄问他：‘你还不知道吗？’‘出了什么事？’他反问我，我说不出话，他看我的脸色才感到不对头。他很聪明，也知道我们摔了一架飞机，就是不愿正视事实。还笑着对我说：‘不会是阿眉在那架飞机上吧？我昨天还收到她的一封信，要我回去在机场住两天，和我商量结婚的事。她有点等不及了。’我可受不了他的玩笑话，硬着心肠对他说：

‘阿眉在那架飞机上。’‘这不可能。’他在飞机里大喊大叫，我把他死死按在座椅里，他还掏出那封信和我吵着说：‘你看看信，看看信你就知道不可能了。她不会从阴间给我写信。’我提醒他注意信封邮戳上的日期，并对他说：‘你怎么能想象得出我会拿这样的事和你开玩笑，我和你说的是真的。’他这才像一个终于被药物控制住了的精神病人，疲倦地安静下来。在后来的航行过程中，他没再说一句话，一直紧闭着双眼，动也不动地坐着，脸白得像张纸。

“飞机落地后，他恍恍惚惚地抓住我的手腕，要我领他去宾馆找阿眉的父母，他的手劲那么大，攥得我手腕都疼木了。他是借助手劲的倾泻来克制心里的痛苦和眼里的泪水。我提醒他不要在已经哭得很衰弱的老人面前再勾起他们的悲伤，可泪水怎么能控制得住呢？那一路上，他看到飞机流泪，看到乘务队宿舍楼也流泪，用手乱抹，手湿得像水洗。到了阿眉父母住的房间，他进去就跪倒了……我没敢进去，从楼里逃命似的跑了出来，一直跑到阳光灿烂的草坪上，跑到听不见那骤然爆发出哭声的地方。那是什么样的哭声哟！没有深深的爱，没有刺骨的痛，是哭不出来的。”

张欣又哭了，用手捂住脸。

“我为什么要给你讲这么多小沈的事呢？因为我要告诉你，阿眉曾失去的东西，又重新得到了，而且更多，更真挚。我认为她最后应该含笑瞑目。如果临死前，还来得及，还允许她说什么话，她也会说，她爱小沈。”

“那你为什么要说，她是一直爱我的？”

我这时早无“争宠”之念，只希望阿眉的感情更纯洁些，更能和沈同平的感情辉映起来。我仰着头，竭力盛住泪水。

“这不是我说的，是小沈说的。”

十九

我向张欣要来沈同平的部队番号和地址，动身去他那里。在不停运动着的、铿锵作响的火车上，我想着阿眉。如果断定我预感中的她一直要对我说而没说的那句话是“我爱你”，那么，从九溪镇分手到她魂魄入梦这前后，她的全部感情活动已不仅仅是一个“爱”字所能包含了的。即便真是“爱”，也一定有更深、更远的含义。

窗外广袤、充满生命力的田野和起伏、连绵不断的丘陵，在我视界里持续展现着，无限地向天边延伸。我经过一座座城市、乡村、新兴的大厂矿建设工地。看到巍峨的楼群，林立的烟囱，川流的载重卡车；看到丰收在望的麦子、水稻，闪闪发亮的水库、灌渠。我看到的一切，都使我想起我一生中目睹到的最蔚为壮观的场面，此刻和那时的心情产生着共鸣。

那是次大规模的舰队演习：导弹驱逐舰、护卫舰、扫雷舰、猎潜舰摆满海域；大量的炮艇在外围游弋、警戒；天上布满航空兵呼啸的飞机；水下有待机而动的潜艇。整个舰队在旗舰的统一号令下，以特大编队破浪前进。在蓝色的海洋上，一队队舰艇从天边排到天边。到处是飘扬的军旗，互相呼应的信号灯以及推进器划出的、交错纵横的白色水迹。海上协同攻击开始了。鱼雷艇队从侧翼率先冲向靶船，进入射程后，扭头转向把一条条鱼雷射入海水之中，箭也似的离去。顷刻间，靶船周围响起猛烈的爆炸声，掀起冲天的水柱。接着驱逐舰列阵向前驶去，用一百三十毫米口径的大炮遥遥地、有节奏地把成吨的弹药倾泻在靶船上，将靶船张结的篷布炸得粉碎。凶悍的强击机群俯冲而下，以完美的角度射出火箭、投下重磅炸弹。最后炮艇队蜂拥而上，用三十七毫米口径炮和二十五毫米口径炮激烈地一通密集射击，最终结束了攻击。舰队进行了凯旋的海上分列式，耀武扬威地返航。猎潜艇队打出了助兴的火箭弹阵，将演习海域打成一片火海，与已用瑰丽的晚霞将天边的云、海染成血红的夕阳壮丽告别。那时，我的脸被连续发射的炮火硝烟熏得漆黑，我的心却用真正鲜红的血液推动着、搏跳着。在赫赫武力的炫耀下，我体内充满着爱，我的爱从来没像那时那么圣洁、醇厚；从那摧毁一切、排山倒海的炮火中，我吸取了伟大的力量，是那么激昂、亢奋！我和那种强烈的感情已经相违甚久……

我在一个边陲海疆的海军小城找到沈同平。第一眼，我就对他产生了强烈的好感。他是那种铁骨钢筋的硬汉子。他的一个接待我的同志告诉我，他已经战胜了巨大的悲痛，重新投入战斗巡逻的飞行中。我和他见面时，他刚结束一次飞行，穿着皮靴和飞行服。脸是坚毅的，依稀露出痛苦的痕迹。我们大量抽着烟。军人式的、面对面、互相正视着开始直言不讳的谈话。

“她的的确确一直在爱着你。那年，她在天津学习，我也正巧在北京开会，周末她来，一脸激动不安的神情。我问她出了什么事，她哭了，半晌才说：‘我看见他了，在另一列火车上。我忘不了他。’我说：‘也许你们应该再谈一次。’她说：‘不不，我不是那个意思，再谈也是没用的。我只是忘不了他，你懂吗？’我点点头。实际上，我点头时并没全懂。她不愿再到杭州疗养，尽管去杭州我也可以同去。我们在杭州也有个疗养院。她执意要去大连，最初我想她是不愿再蹈伤心地……”

“她是重温英雄梦。”我悲伤地说。

“你们第一次见面就在海上吧？那时你是个舰炮瞄准手。她都告诉了我，你们第一次见面的情况种种。特别着重、几乎是神往地谈到你那时对她的巨大感染。正是这种英雄式的感染力以及由此激发出的少女的浪漫主义想象，促使她放弃了在城市中找个舒服工作的机会，去考了动荡的、随时潜伏着危险却又十分具有魅力的空中小姐职业。她在这种工作中是感到了乐趣的。为此她一直怀念你，认为你在她走上人生道路的过程中是起了重要的、积极的作用。她是个心地善良、十分容易原谅别人的姑娘。不瞒你说，最后那些日子，我们之间信件、交谈的主要话题是你。她没说你一句坏话，说的全是你美好的一面。说起这些，她是怀着多么真挚的深情！嘿，除了说明她仍在爱你，还能是什么呢？”

“她爱的是那个叱咤海疆、栉风沐雨的水兵，不是沉溺于京杭温柔富贵乡的我。”

“是这样的，你很明白。”

“换了我们谁也会这样做的。”

“她曾经跟你说过，也许她对你的这种绵绵不休的感情是不健康的，不应该的。我对她说的就是你这句话：‘换了我们谁都会这样的！’很健康！很应该！扬弃他的伪俗，爱他的朴质。请相信我，我说这话时没有半点醋意和做作。她是无可非议的。为什么不能怀有这种爱呢？而且我还要跟你说明，虽然她对你怀有这种感情，但即便是你，在那时，也不能破坏掉我们的爱。我们已经是牢不可破的，最纯洁的心心相印……知道这些，你还能爱她吗？”

“当然爱！仍然爱！”

“好朋友！你知道吗？她准备给你写信的。她是那么激动地对我讲过想向你倾诉的话，不是一句，而是很多很多。她死了，但我可以肯定告诉你。她是决不甘休的！尽管她不能再用语言明明白白地告诉你。我相信，她也一定会用某种形式向你传达信息的。你这几天要警醒！”

阿眉来了!

冰清玉洁，熠熠生辉。

她拥抱了我，用空前、超人的力量拥抱了我，将我溺入温暖的海洋中。她用岩浆般沸腾的全部热情，挤榨着、置换着我体内的沉淀垢物；用她那晶莹清冽的全副激情，将我身心内外冲刷得清清白白。我在她的拥抱、治疗下心跳、虚弱、昏厥，她的动作温柔了。蓦地，我感到倾注，像九溪山泉那样汩汩地、无孔不入地倾注。从她眼里、臂膀、胸膛，从她的心里。流速愈来愈快，温度愈来愈高，我简直被灼疼了。天哪！这是她贮存的全部鲜血、体液，是她积蓄的，用来燃烧青春年华的能量，她不能再发出耀眼的光亮，就无偿、慷慨、倾其全体地赠与了我。我感到一个人全部情感和力量的潜入，感到自己在复苏，在长大。我像一支火炬熊熊燃烧起来。而阿眉，却像一盏熬尽了油的小灯，渐渐黯淡下去，微弱下去。我清晰地看到她泪流满面却是微笑着，幻作一个天蓝色的影像，轻松地、一无所有地飘飘升飞。

“说句话，阿眉！别叫我醒来茫然。”我深知自己在梦里，为了证明非梦，我向苍穹喊。

“看你的船，它来了！”

空中传来热烈呼喊。

我来到晨曦初染的街上。这小城是我熟悉的世界。整齐的海军营房，禁严的司令部大楼，一队队穿着海魂衫跑步的水兵。远处山峦上雷达扫视着天空，山那边是航空兵的机场，山本身则被挖空成巨大的弹药库和油料库。街上另一端是码头，桅杆林立。各式舰艇把港湾塞得满满的，武装卫兵把守着码头入口。我在满街水兵和军官们中间走着，听他们用熟悉的粗话互相笑闹着、喧嚣着，一直来到码头边。港内淡蓝色的海雾尚未散尽，雪白的海鸥在雾里、桅间飞翔，低低掠过漂浮着油渍的水面。我看见了我服役过的那艘扫雷舰。它如梦地向港外无声无息地驶去，舰首破开平滑如湖的海面。水兵们在各层甲板走动着，井井有条地工作着。它更新了，更漂亮了，一切安好，在尽着自己的职责。它在转向，迎着海面初升的太阳，身披霞光地驶去。追逐着它的鸥群也被灿烂的霞光鼓舞，大声鸣叫，漫天飞舞。

“是老兵吧？”

一个脸被长年累月的风吹浪打刻画成岩石般的老军官问我。我指着远去的舰大声说：

“那条船上，有我一生中最好的时光，我最年轻、最热情的日子都在那上面度过了。”

“可不是虚耗殆尽了，对吗？你远没到风烛残年，你还会驾上新的船，破浪而去，对吗？”

“对的。”

…………

这海滩由于荒芜而显得苍凉空旷，天低水阔，海风遒劲。海水像呼吸一样有节奏地把清波碧浪一道道推上岸来，似在笑容可掬地邀请：来，让我为你洗涤。得不到回应，一步步退回，消逝，湮灭；继而又笑盈盈地走上岸来，周而复始，盛情不衰。远处海水波晃粼闪，跳跃不休，也像万千人头攒昂。搔首弄姿，各执一态；恋恋不舍，生生不息。

站在这情意感人的大海面前，我涕泗滂沱。

二十

我坐飞机回北京时，旁边一个常坐飞机旅行的外贸人员，指给我看一位空中小姐，说她就是那个著名的反劫持飞机英雄机组的成员之一。那位姑娘送水过来时，我吃了一惊，以为阿眉再现了。细一看，不是。她也看了我两眼，我想起九溪山阴道上那个赤脚玩水、眉眼肖似阿眉的女孩。

“这就是我们举国瞩目的英雄。”

“……”

“你说什么？”

“一个普通的女孩子！”

（原载《当代》1984 年第 2 期）

浮出海面

上 篇

经过一星期艰苦的谈判和讨价还价，北河乡仍将工人年薪卡在一千三，不肯降下来。这样，我只好放弃承包那个社队办的濒于倒闭的服装厂。一个朋友告诉我，一家位置很好的餐厅正在清理账目，问我有无兴趣去当经理。我常去惠顾那家餐厅，知道其背景复杂，那伙人哪一个都是开罪不起的，便谢绝了。

天色已晚，临街的高楼大厦间间灯火通明，雪亮的外国汽车川流不息，大街犹如一条快速流动的明晃晃的河。我随着密集的人流急急走着。商业区林立的霓虹灯使鲜丽的广告牌、琳琅的商品、花团锦簇的少男少女笼罩在红红绿绿、忽明忽暗的氛围中，一串豪华的大旅行车鱼贯停在一座金碧辉煌的大饭店门口，拥下成百挂着相机、满面笑容的外国游客，衣冠楚楚的侍者毕恭毕敬为他们示路。一个交通警呵斥一个乱闯乱瞧的中国小伙子。小伙子满不在乎地说：

“厉害什么，厉害什么，不就是一帮香港人吗！”

“香港人？人家是日本人。”

我笑了，很多行人也边走边笑。

我在一间香港人开的快餐店站着吃了个汉堡包，又要了瓶可口可乐慢慢吮，看着灯光广告牌上的漂亮菜肴出神。自从我父母相继谢世后，我就常在这样的快餐店胡乱吃一顿。店里放着这个月流行的爱国歌曲。一个我认识的服装小贩凑过来，说他刚从珠海进了批衣服，今晚在西单夜市卖，叫我去挑几件。我说我还有事，改天再说。

我到柜台上换了些零钱，走到外面一个投币式自动电话亭打电话。拨了两遍没拨通，没了耐心，看到外面一个姑娘很焦急，便让给她打。自己走出来。一辆无轨电车驶来，我跑两步挤上去。车到站我又突然觉得什么人都不想见了，继续往前乘，一直到总站才下来，溜溜达达瞎逛。这条街有很浓密的洋槐，乘凉的人很多。男人们在路灯下打扑克，小孩子坐在马路沿上吃西瓜，老太太则搬着小板凳扎成堆，东家长、西家短地聊闲篇。没人注意我，也没理由注意我，我很黑，又穿着黑衫。

我想找个演外国旧片的影院，走了两家都满座。走到一家剧场，有人迎上来问我要不要退票。我只肯出一张电影票的价，那人踌躇一下，索性把票子白送给我，我进剧场时不禁有些怀疑。

剧场里只有稀稀拉拉几个观众，台上一个古装少女在跳着徐缓但十分舒展的中国古典舞。水袖在淡蓝的光中拖来曳去，腰肢婀娜地扭动，筝和琵琶流水般地倾泻，天幕一片辽远清丽的冷调子。曲终舞罢，灯光暗下来。尽管我很入迷，也没鼓掌。

舞台再次亮起来时，这个姑娘穿得很少地跳出来。跳了一会儿我才明白，她跳的是一个神话中的女英雄。在共工那个倒霉蛋头触不周山、造成天塌地陷的严重后果后，这个女人像瓦匠一样把天重新砌好，使我们人类得以继续繁衍。据说，也是这个女人，同她的同胞交尾产卵，提供了第一批人种。值得欣慰的是编导没让这个女孩子裹上一层蛇皮，否则，她就不能向我们展现她那双极富表现力、生气勃勃的腿。最后，我还是觉得扫兴。我以为不该让一个女孩子向成年人表现雄壮、慈悲，即使她是好心眼。

我对这个女孩子印象深刻，因为她表现功成名就后接踵而来的死亡很传神，简直可以说死得扬扬得意。

散场时我买了份节目单，跳舞的女孩叫于晶。

我在楼梯上就听到我家里一片喧闹声夹杂着隐隐的舞曲声，也不知哪伙朋友在这儿聚会。父母欣逢盛世，生了我们兄弟姊妹八人，又像播种机一样把七个兄姊撒到祖国各地，生根发芽。虽然我外出旅行方便了许多，但父母过世后的那些日子，我十分寂寞，就招朋友们来玩。后来，我也闹不清究竟谁那儿有我家的钥匙。反正我每次回家，公寓里总是一大堆不认识的人又玩又闹，有几次我都不得不睡在地板上。我怀疑有些钥匙是他们自己配的。管片民警训诫了我好几回，我表示拉不下脸，只好随他们去抄，果然抓走一些嫌疑犯。法院还差点以窝藏罪对我起诉，幸亏一个律师朋友从中斡旋，让我具结悔过，才不予追究。清静了几天，这些日子，国内歌舞升平，我家又日趋繁荣。我倒也不在乎了，因为民警也有我家钥匙，有情况随时来好了。

我进了门，径直到自己房间关门睡觉。快睡着时，有人咚咚敲门。

“石岜，电话！”

我十分不高兴，爬起来到客厅接电话。客厅里一帮人在装模作样地跳集体舞，我觉得很好笑。电话是一个怒气冲天的女朋友打来的，说我害她在景山等了两小时。我想起答应过请她吃广东菜，只得撒了个谎，说我病了。她要马上来看我，我说明天，明天我在家等她。我放下电话问那些人，干吗跳这种不三不四的舞。一个人说，这是他们厂团委领的任务，限期学会，所以在这儿加班。我想问他是谁，又觉得不太礼貌，起身离去。

“你们跳吧，专心跳吧。”

回到房内，我睡不着了。戴上立体声耳机听了会儿科德尔曼的钢琴曲，想起过去这套房子内欢欢乐乐一大家子的情形，无声地哭了会子。去厨房冰箱里找酒，发觉空空如也。跑到客厅里一看，那帮人正一人端着一杯我的啤酒。我勃然大怒，把他们全轰了出去。

我乘电梯下楼。附近街角有一家营业到深夜的私人酒店，我和那儿的人很熟，老板娘总是给我留几升冰镇啤酒。我一边喝，一边看店里电视播放的晚间国际新闻。美国佬又被亡命的阿拉伯人开着一卡车炸药炸得血肉横飞，而他们那个又老又帅的总统正在仪态万方的夫人陪同下神采奕奕地发表演说。一个吃饱了撑的洋瘪三又创了一项无聊的世界纪录，钻进木桶里从大瀑布冲下来。这时，一个穿红拖鞋的姑娘娉娉婷婷走进来，坐在我旁边。老板娘跟她打了个招呼，随手斟来一杯白酒。电视里的国际新闻播完了，播音员预告明天的天气情况。我转眼瞅了眼旁边有滋有味喝着白酒的姑娘。她穿了件圆领碎花睡衫，一条红百褶裙，棕色的脸庞上一双水汪汪的圆眼睛，嘴唇鲜红，脖颈笔直。

我觉得她挺面熟。

今年春天，我在南京送一对新婚夫妇乘火车去上海度蜜月。由于过分热心，到点了忘了下车，被一齐拉到上海。在上海认识了一个北京籍的海军军官老纪，一见如故。我们俩的短篇小说曾凑巧登在一本刊物的同一期上。

我在外面躲了那个女朋友一上午，中午回到家，正碰上老纪他们带来几个舞蹈学院的女孩坐在客厅里山呼海啸地神吹：如何追得违法捕鱼的南朝鲜渔船发疯地跑；如何在公海硬着头皮和苏联巡洋舰对峙。我坐在一旁笑眯眯地听，伸手拿茶几上的烟盒，发现里面空了。一个南方口音很重的女孩递给我一盒烟。我抽出一支，和她对了个火，认出了她。

“你也常到这家来玩？”她问我。

我点点头。

“见过这家主人吗？”

“……”

“我来这儿好几次了，从没见过这家主人。你知道他是干什么的吗？”

“说不上来。”

“你呢，你是搞什么的？”她友好地问。

电话铃响了，把我救了。我去接电话，是那个女朋友打来的。她开口就骂我，我忍了会儿，她仍骂不绝口，把我骂急了，和她对骂起来，最后情断义绝地挂了电话。

那个女孩笑着对我说：“我知道你是干什么的了。”

我等着她说。

“流氓。”她开了个过火的玩笑。

老纪连忙领头大笑起来，笑声强盛不衰，我也只好跟着笑笑：“不，跟流氓不搭界，他们说我是‘青年改革家’。”

晚上，我们在陶然亭西餐厅来了通水兵式的豪饮，昏头涨脑，吵吵嚷嚷去舞蹈学院喝自来水。老纪总是细心观察每个人的情绪，生怕谁不能尽兴，他叫那几个女孩领我去她们练功房开开眼。我理解他的好意，又很烦这种体贴，不愿去。

“不就是一个大屋子吗，几片镜子。我懂。”

“去看看，去看看。”老纪推我，“再让她们给你跳几段。”

老纪说，这几个女孩都是各省歌舞团的主要演员，尖子，有的还是边疆传奇色彩很浓的少数民族。

“那有什么，那有什么！”我不服，“我也是少数民族，满族！和你们汉族有亡国灭种之恨。”

她们笑我喝醉了，我不理她们，缠住一个姓杨的白族女孩问：“你在家，平时吃什么？”

“炒月亮。”

“跟你说正经的呢。你是哪个族的，师傅？那么善饮。”我问于晶。

“鄂伦春？你们不是会打猎吗？没听说你们会跳舞。”

“你没听说的事多哪。”

来到空旷的练功房，我凑到镜子前搔首弄姿。后来，蜷缩在墙角的垫子上打起盹。醒来一睁眼，发现人都走光了，只剩下于晶一个人坐在钢琴前低头随便弹着小曲。我又照了会儿镜子，对镜子里的家伙很不满意。

“你们的镜子不平。”

她看看我没说话，继续自我陶醉地摇头晃脑弹琴。

“这个身材也就穿西装合适。”我在自己身上比画着，找自己优点。

“你的肚子和外国肚子有个区别。”她在后面边弹琴边瞧着镜子里的我说。

“更尊严？”

“人家是下腹沉甸甸，您老先生是胃囊鼓出来。”

我和她对视一会儿，承认：“那倒也是，炎黄子孙嘛。”

她低头继续弹琴。我把腿笨重地搭在练功杆上窝窝囊囊堆在那儿。

她抬头看我笑了：“一摊泥。”

“你给咱们，”我把腿取下来，“来个矫健的。”

她离开琴凳，走到练功房中央站住，亭亭玉立，“你想看什么？”

“女祸补天。不不，女娲女娲。”我及时发现自己的错误，脸还是不由得红了。我不愿让她看出我其实很喜欢她的舞蹈，掩饰道，“是你跳的吗？”

“瞎跳，你觉得怎么样？”

“挺好，挺不错的。”

“这个舞，”她说，“在全国比赛拿过奖。”

我想恭维她一下，脱口一句把她冒犯了：

“搞舞蹈是不错，不费什么脑子就能拿奖。”

她白了我一眼，走回钢琴，掀开盖叮叮当当砸起来。

“怎么不跳了？”我问。

“没音乐怎么跳？你会弹琴吗？会弹来弹。”

“不会，音乐里我也就用心学过口琴。”

“吹得好吗？”

“不好，吹了两个月，吹出个口腔溃疡……我其实不会吹，从来不吹。”

她脸冲墙笑起来，我也笑了。

“给我留个电话行吗？”她说，“闲得没事，好给你打电话聊聊天。”

我从身上摸出一张破纸，趴在钢琴台上给她写号码。她歪头瞧瞧，纳闷地说：

“怎么好几个人给我留的都是这个号码——那到底是什么地方？”

“公共厕所——我家。”

第二天，我打电话给老纪，问是不是禁锢在学院围墙内的这些女孩子都挺寂寞。我确实看到那些年龄很小的男孩子和女孩子，穿着有无数拉链的运动衫，仨一群俩一伙地坐在院子里发呆，见个人过去就拉住胡扯几句。老纪劝我不要自我感觉太好，围着她们转的人其实很多。譬如于晶，据老纪所知就有一群博学的研究生、飞黄腾达的第三梯队成员以及各种崭露头角的艺坛新秀在角逐。有钱的出钱，有才的献才，场面相当壮观。我自叹狗屁不是，对电话铃仍旧无动于衷。

气温急剧上升了，街上热得像澡堂子。国家机关都实行了六小时工作制。洛杉矶正举行我国第一次参加的夏季奥运会，人们下了班都待在家里看比赛的电视实况转播。街上人很少，只有那些兴冲冲到北京旅游的外埠人不断在大街小巷公园中暑。一个乡下老太太在公共汽车上吐了我一身后昏在我脚下，我把她人中掐出了血她才醒过来。回到家里，想起所有衣服都穿脏了没洗，只得取消约会，半裸地坐在电扇前吹风，看单正平写的《怎样打官司》。中午吃了袋方便面，两颗维生素 E 丸。一个电影导演打来电话，说对我新发的一个中篇小说很感兴趣。我告诉他，电视台已拿去拍电视剧了。他问我能不能撤下来。我说不好意思。他表示遗憾。我向他推荐我另一篇小说。他说谢谢。

“那只好下次再合作啦。”

我放下电话，继续看书。电话铃再响，我拿起来。

“石岂吗，你这个经理怎么总不露面？我到处找你。你马上来，公司这儿一摊事等着你。”

来电话的是四川一家公司的总经理，她聘我当北京经理部经理。我接了聘书不去干活，她十分光火。我也有道理，她不给我发工资。

“我去不了。”我委婉地告诉她，“我没衣裳穿。”

刚放下电话，铃又响了。一个想办文艺茶座的出版社抱怨我给他们联系的那个街道办事处给找的房子太偏僻，沿线只有一路高峰车，难以招徕一般的附庸风雅者。

有人敲门，我不理。敲了会儿走了。我打完电话，又听到有人用钥匙捅门，而且已经进到走廊。我大吼一声：“等会儿！”手忙脚乱地找了条相对干净的网球裤穿上，“进来吧。”朋友们陆续来我家“上班”了。谈恋爱的进了小房间，谈生意的麇集在大客厅。我一边翻着当天的《市场》报，一边随口和他们应酬着。一个广东口音的家伙特别惹我心烦，一会儿问我要不要电饭煲，一会儿问我要不要“傻瓜”相机，口气之大似乎他家卸了满满一船日本货。我突然看到《市场》报上登的一则慷慨出租繁华大街商业用房的广告，抓起电话给那家出版社打电话，通知他们。

客厅里十分嘈杂。电话铃再响时，我拿起来几乎听不清里边在说什么。

“你们小声点。喂，找谁？”

“找你。”一个女孩子的声音。

“你是谁？”

“你猜。”

“没工夫猜，快说，别搞错了。”

女孩子声音有些嗫嚅：“你猜不出来？”

我心一烦，把电话挂了，对着一支烟刚抽了两口，突然反应过来是谁来的电话。连忙跑回卧室，不顾一对情侣的狼狈，东翻西找电话号码，舞蹈学院那台电话总占线，我锲而不舍地拨着，终于拨通。传达室的老头说于晶不在。那天下午，电话铃一响我就蹦起来去接。但电话铃响了无数遍，都不是找我。

皓月当空，夜色醇厚，幽暗的云缓缓飘移，市声遥远微渺。我在阳台上鸟瞰北京。漫无边际的熠熠灯火；跑道般纵横明亮的马路街巷；远处市中心几座高大建筑物挂了灯，轮廓清晰地浮在夜空（不知道今天是什么节日）。

我回房躺在床上看书，书里有人说：“我这辈子可能不会爱一个人、被一个人爱就过去了。”

我又看了一遍这句话，怦然心动。

她坐在午后金色斜阳里看书，衣衫红得耀眼。我穿过昏暗、肮脏的长长楼道，走到后门口，站住看着她一动不动的背影。良久，她感觉到什么，回头看到了我。认出我后，淡淡一笑：“你来了。”

我走下台阶，坐在她旁边的一张椅上：“看什么书？”

她合上书，给我看看封皮：“干吗来了？”

“没事，瞎转悠——你会游泳吗？”我决定不兜圈子。

她抬起金色、光滑的脸颊，注视了我一会儿，点点头。

“我知道西郊有个湖，又大又荒凉，晚上租船到很晚。我常一个人夜里划船到湖心，然后通宵畅游。”

她沉默着，不置可否。我有点茫然。

白族姑娘小杨来喊我们去吃晚饭。她说学院食堂饭不好吃，端个盆去外面小铺买了些羊肉馅饼。我吃了两口，羊肉不新鲜，就吃了几个西红柿了事。屋里的几个女孩说着她们将要演出的舞剧《屈原》。演婵娟的女孩抱怨屈原老头太正经，查遍野史，也没找出和婵娟丁点儿暧昧的关系，使她的双人舞十分尴尬。我问于晶跳什么角。

“灾难舞中的民女。”她说，“在众多秦兵手里挣扎一番，然后自刎。”

她们开始议论班里男生谁政治思想好，但动作别扭，没“胞”（“胞”大概是指艺术细胞）；哪个名女演员又老又霸道。我在旁边听着一句也插不上，只知道没什么人她们瞧得起。于晶见我没趣，找话问我：

“你看过哪个舞剧？”

我想了想，实在想不出，抱歉地说：“马戏偶尔看，舞剧……”

她白我一眼。

“哎，”小杨也掉脸问我，“我听说你是无业游民是吗？”

“不是无业游民，是社会贤达——我把铁饭碗扔了。”

“为什么，为什么呀？”其他女孩纷纷感兴趣地问。

“国家有困难，僧多粥少，为国分忧嘛。”

女孩们都撇嘴，于晶嗤笑地站起来，从别人手里抓了把瓜子，坐到一边低头嗑起来。

“那么你算个体户了？”一个女孩说，“一定很有钱了。”

“是不是该请我们穷学生吃几顿？”于晶故意打趣地说。

“你们别以为是个体户就趁钱。”我说，“我是贫寒的个体户，我们那个野公司吃饭都得抓阄。”

“胡说！”女孩们笑。

“那你以后怎么办呀？”小杨倒认真关心地问，“当一辈子个体户？”

“不会的，以后国家好起来，经济发展了，就业机会自然也就多了。”

“他倒对‘四化’前途充满信心。”

我和女孩们不着边际地胡扯，有时看一眼于晶。她漫不经心地嗑着瓜子，独自出神。一个男人进来，女孩们和他打招呼，我见过他，一个无名的伤感诗人，他写的那些吟风弄月、怜香惜玉的小诗很能赚女学生的泪。于晶活跃起来，和他对坐长吁短叹，感慨人生，俨然双双跃入超凡脱尘的至高境界，使别人俗口难开。我起身告辞。

“不送了。”她连身子都不抬一下。

小杨过意不去地送我出来，叫我常来玩。

我走到紫竹院，脱衣下水，沿永定河引水渠一直游到玉渊潭，接着顺水漂到木樨地大桥爬上岸，坐车回紫竹院拿衣服。巡夜的联防队员把我截住盘问，我和他们大吵大嚷。他们把我带到派出所蹲了一夜。第二天早上我到紫竹院找衣服时，已不知被哪个小人抱走了。我骂骂咧咧地在街上横行着回了家，觉得不能这么罢休。

她们正在练功房跳一个即兴的幽默舞蹈。大意是三中全会后，政策放宽，农民养了很多猪，猪吃得很肥，心情也很舒畅，屠宰时，争先恐后：“先杀我！”“先杀我！”表情兴奋，至死不渝。跳的和看的都笑得滚了一地。

我把穿着黑练功服笑得直不起腰的于晶揪到一旁。

“干什么？”

“下了练功课，我在陶然亭水榭等你。”

她笑着挣开我，我转身走开。

我在公园等了一小时后，心情慢慢沮丧了。湖水稠绿，平滑似绸，不时有鱼呼啦跃出水面，涟漪一圈圈散开。天空阴沉，纹丝风没有，雷声隆隆传来。我忽然想起拱桥那边还有个水榭，忙跑到桥上。两个飞檐红柱的水榭间曲桥上，一个红裙子少女双手握在前面，东张西望，怅怅地走着，我拼命冲她挥手，她愣神遥望，然后，连跳带蹦地沿绿茵茵的湖岸跑来。

"我还以为你不来了呢。"

"我是来告你一声，我有事，要去东四取做好的旗袍。"

天开始掉稀稀拉拉的雨点。我们躲进一株老树的浓密伞盖下。

"别去了，旗袍晚一天取有什么关系？"

"明天我们连排，一天都没空。"

"那就后天取。要不就别要了，我赔你一块料子。"

"真好笑，我要你赔我料子干吗？"她睁圆眼睛，瞪了我片刻，把后面的话咽下去，"我要去，再见！"扭身走到草坪上，跳过矮栏，站在甬路上回头看了我一眼，"你要没事，可以陪我去。"

"我有事。"我挥挥手，让她快走。

滚滚乌云带着雷阵雨压过来了。

中午，我在陶然亭西餐厅碰到一个要办服装表演队的朋友请舞蹈学院的几个人吃饭，小杨在里面。我也不客气，坐上桌就吃。吃完饭出来，小杨挂在手上转着玩的钥匙串搞丢了，我陪她回去找。找到钥匙后，我们就坐在雨后潮润的草坡聊天。园子里静悄悄，鸟语呢喃，小杨有点想家。她这样淳朴的少数民族女孩到北京这么复杂的环境，面对各种笑嘻嘻的汉人面孔，吃不准。我胡说了一顿为人处世之道，发觉自己什么都懂，可事到临头，也缺乏超脱、弹性。我也想起了小时候，爸爸妈妈抚养我时，在秋日和煦的阳光下，在拂拂扬扬柳树林下，无忧无虑地奔跑打闹，玩得满头大汗。

“想什么哪？”

“噢，”我收回纷飞的思绪，抬头笑笑说，“没想什么。哎，”我问小杨，“你们屋里那个姓于的挺讨厌我是吗？”

“没有呀，”小杨眉毛一挑，说，“没有。她对你挺感兴趣。”

“是吗？没看出来。她说我什么了吗？”我心怀鬼胎地问，“跟你说过我什么？”

“也没说什么。”小杨说，“就是那天晚上你走后，她说：‘这是个真人。’”

“太乙真人，散仙，是这意思吗？”

小杨笑着说：“大概是。你比我们活得自在呀。”

“真的？”我谦逊地说，“我能跟你们比吗？”

我们出公园时已是满街夕照，下班的人、车潮水般地一波波涌过，交通堵塞，人声鼎沸。

于晶横穿马路向公园走来。

小杨叫于晶，她看见我们，不自然地笑笑。

“干吗去？”

“没事，到公园转转。”

“衣服取回来了吗？”小杨问她。

“没有，袖口样式做错了，让她们重改呢。”

“我走了。”我跟小杨说。

“吃完饭再走嘛，省得回去还得抓阄。”

她笑起来，于晶也看着我笑，我们仨人一起往学院走。小杨步子快，走到前面。我同于晶并排。我看看她，她正好也看我。

"晚上还去取什么？"

"什么也不取了。嗯，"她问我，"去游泳？"

我忍不住一笑，默契地点点头，赶上小杨，"真的不吃了，我晚上还有事，走了。"

"你去哪儿？"小杨问于晶。

"我姨妈家，嗯，她叫我今晚去一趟。"

那天后来的事我记得不太连贯。只记得我换好游泳裤赤脚跑到柳岸下，看到满湖金水中有一条船静静泊在浅滩，一个穿天蓝游泳衣的姑娘垂头坐在夺目的光晕中。我把衣服掷上船，蹚水过去，猛地推了一下船。然后劈波斩浪追逐那条流矢般飞快滑行的船。我们像两只鸭子，一前一后伸着颈在温暖的水中快活地游着，柔软的水草抚摸着我们的腿。船载着我们的衣服越漂越远，横在荒草萋萋的野堤旁，两桨搭没在水中。我们坐在船头一只接一只吃着冻得硬邦邦、带着冰碴儿的果料酸奶，凉得牙齿咯咯抖。后来，我们好像还坐上最后一圈观览车，缓缓地被举上夜空，默默好奇地看着月光下粼粼的湖泊，黑黝黝的郁郁葱葱林带，星海似的市区一点点呈露、聚缩、祖现出完整的全景。后来，我们站在地铁旁，兴致勃勃地海聊，谁也不往那个明亮的通往地下的玻璃门里走。昏黄的路灯下，赤膊的人们围着西瓜小贩的平板车吃西瓜，遍地瓜皮。等我们跑下地铁时，末班车已隆隆驶过。我们轻松地笑个不停，满不在乎地沿着夜阑人静、灯火辉煌的大街中心线往城里走。一个晚宴归来的外宾车队从我们身边风驰电掣驶去，在大街尽头久久留下一串红色的尾灯。洒水车叮叮当当开过，马路变得湿淋淋、黑油油。

我们好像互相说了很多热情幼稚的话，记不清了。

电话铃把我吵醒，我仍沉溺在梦中纷乱的情节中。电话铃不厌其烦地响着，我埋在枕头里，直到电话铃不响了，才起床下地。拉开窗帘，玻璃窗刺目地透明了。窗外，浅色的楼群矗立在耀眼的阳光中，橘红色的公共汽车在白色的水泥马路上蜿蜒爬行，道旁绿地散落着蚁状奔跑的儿童。

我到图书馆去翻旧报刊，找到于晶当年获奖时几份报纸的报道文章。上面讲了一些她的情况。她小学毕业即进入外省一所艺术学校学习舞蹈，经过几年艰苦甚至是残酷的练功，在当地有了一些小名气。十几岁便连连获奖，名噪一时。人们对她寄予极大希望——从报上的奉承恭维中可以看出。报纸的报道是大量、广泛的，在一份销路很广的刊物封面上我还看到于晶的整幅剧照，以致我很有些惊奇，怎么我从没注意到？我动手撕那幅剧照时，有昨日明星之感。

我把图书管理员叫过来，对他说："这个杂志的封面不知叫谁撕了。"

"我小时候，腰腿长得别提多科学，人都说我是舞蹈苗子。"我手揣着裤兜和于晶在大街上边走边笑着说，"经常手举着树枝跳到半空中，像洪常青在娘子军女战士面前舞大刀一样。"

"后来呢？"

"后来，功废了，只剩下个嘴。"

我引她走进一家有抽象派壁画、银闪闪餐具的法式餐厅，打着黑领结的侍者迎上来，安排我们就座，递上精美的大菜单。我随便浏览一遍，点了两份特菜和两瓶啤酒，继续跟于晶说：

"我很遗憾，要不我们没准认识得早些，双人舞。"

“也没什么可遗憾的。”于晶看着侍者把酒分别倒进我们的杯子。等侍者走开，端起酒杯说，“你要学了舞蹈会更遗憾。”

“为什么？”

“跳给谁看？连那种风流自赏的人都只看马戏，不看舞蹈。”

“我空肚喝酒，一喝脸就红，得垫补垫补。”我跟于晶说，一边把纸餐巾扔到一边，抓起桌上的烤面包往嘴里塞。

“我不是指你。”于晶笑着说。

“没关系。”我说，“尽管说，我不在乎。我是爱看马戏，还是鼓掌喝彩最起劲的一个。”

侍者送上冷盆，我挥舞刀叉，大吃大嚼，风卷残云，又端起酒杯咕嘟咕嘟喝得喘不上气。

“你吃东西真香。”

我停下来，乜眼看她，她笑眯眯的，手把着酒杯玩。

“你是不是觉得我有点低级趣味？我们劳动人民，不能比你们搞艺术的。”

“要说劳动人民，”于晶说，“我才是劳动人民，光会跳舞，没什么文化。”

“怎么着，大相国寺的水浇了菜园子，贵贱一码平了。”

侍者送上煎好的牛排，我吩咐过他，煎得老点，切开时，里面还是红红的血丝。于晶尝了一口，便放下刀叉，我吃了一块，也很不对口，只是这块牛排太昂贵，不吃掉实在叫人心疼，我抱怨着，还是都填下肚。

付了账出来走在大街上，我对于晶说：“不行，我得去喝点冰水，有点恶心。”

我们站在一个冰柜前喝冻柠檬水，于晶又要了块紫雪糕。前面十字路口刚出了一起交通事故，围起一堆看热闹的闲人，警车、救护车呼啸而至。我和于晶也跑过去看，只看到撞瘪的汽车和一摊血迹，又走回来喝冷饮。

“上个月撞死三十七个人。”我看着路口竖立的交通事故公告牌说。

“跟我说说你好吗？我还几乎一点不了解你呢。”我扭头看于晶，她的眼睛在橘红的路灯下又黑又亮，露出那么点饶有兴味的神气。

“你想听什么？”

“你为什么退职？我们都猜你是被开除的。”

“这可是凭空诬人清白。我，”我说实话，说实话就有些艰难。我咽口唾沫，“想发财——”

于晶笑，看来她又以为我在信口开河。

“真的，”我诚恳地说，“怎么说我跟你也不一样，浑浑噩噩小三十年，身无一技之长，再没钱，将来谁待见？我过去那个单位，终日无所事事，薪水菲薄，饿不死也吃不饱；难受坏了，毁我青春。”

“那你退职后，比过去好点了？”

“常饿肚子，真惭愧。可我不怨别人，机会有，全看自己。另外，”我笑着说，“也不是没有挥霍的时候，我不共人家的产，也不喜欢别人和我共产。”

“你真反动。”

“我寻思着，官不是人人都做得的，学问也不是拨拉个脑袋能干的，唯独这钱，对人人平等，慈航普度。”

“你退职时，你爸爸妈妈还活着吗？”

“妈妈还在。”

“她没说什么？”

忽然，我一阵心酸。很多人都说我妈妈是我气死的，我从不愿提这事，可不知为什么，今天，我想说说这事，特想推心置腹和人谈谈。我看看眨着眼睛站在我面前的于晶，想描述一下，又觉得难以讲清晰，词不达意。

“我妈妈是那样一种人，怎么说呢，是个地道的有中国特色的妈妈。总希望我和大家一模一样地生活，总觉得她有义务指导我像她那样过‘有意义的’生活。大家参军时，也要我去参军。大家上大学时，也要我去上大学。希望我入党，再娶个女党员。什么都考虑得很周到，就是不问我想干什么。”

“她是为你好，”于晶温和地说，“关心你。”

“都这么说，搞得我都气愤了，难道还有谁比我自己更关心自己？狗看星星一片明！我不自私，我尽义务，服兵役、献血、纳税、植树、买国库券。我只是不喜欢别人多管我的事，不危害公共秩序的私事。”

“什么事能跟公众一点关系没有呢？”

我想了想：“譬如，我晚间上床前洗不洗脚，我吃不吃羊肉。再重大一点，我和我爱她她也爱我的女孩子婚前有没有性关系……”

“我有点累了，”于晶说，“想走了。”

“再聊会儿。”

“太晚了，改日吧。”

“要我送你吗？”

“你要懒得送就算了，再见。”

“再见。”我兴犹未尽，拍拍于晶肩膀，“咱俩还挺投机。”

“我觉得我们还是有区别的。”于晶正颜说，“我虽有时也冥想，可从没有过什么恣意妄想。”

她转身走了。我在原地呆了半晌，走开："妈的，现在人人都有莫名其妙的优越感。"

那些天，我正好有钱，带着于晶走街串巷吃雨后春笋般在北京开张的各帮菜馆。遇到我那些神头鬼脸的朋友就呼啸成群，做成一处，吃个痛快淋漓，有几次我还喝得哇哇大吐。使我纳闷的是颇能喝几杯的于晶滴酒不沾，只是拼命抽烟。我问她有什么不开心，她说没有。我越逼问她，她越坚持说没有，反而常常酸了脸。

"我不喜欢女孩子总那么心事重重的怪样。"

"我才没心事重重，"她平静地说，"相反，我现在都快成饭桶了。"

"你这是影射我吗？"

于晶扭过头去。我掏出五角钱，摔了个玻璃酒杯。她起身就走，我追了出去。外面阳光明媚，我们在街头绿地的石凳坐下，四周都是光着小膀子，扑着痱子粉，嫩声嫩气叫笑着的孩子。幼儿园的阿姨坐在树荫下聊天。一个眼睛又黑又圆的小姑娘伸手摘花坛里鲜艳的花，我喝住她，小姑娘踉跄退了几步，站住看我们，恍恍惚惚，若有所思，我们笑了。于晶说这女孩很像她小时候的样儿，我指远处一个正欺负人、头又扁又圆的男孩说，我小时候很像他。

"我说，"她说，"你那些朋友都跟你一样，也是'改革家'？"

"差不多，"我说，"印象如何？"

"你们钱哪儿来的？整天胡吃海塞，也没见你们费劲干什么。"

"叫你看见还成。"我说，"你以为我们该是什么样？挽着袖子站在车床旁？在农田里挥汗如雨？"

"可你们玩得也忒邪乎了。我跟你一起这么多天，没见你有一点正经事。"

“老天，你把我想成什么雄赳赳的样子？跟你在一起，我已经正经多了。”

“已经正经多了！”于晶眼睛差点瞪出来。

“是，快活多了，吃得睡得都香多了。”

于晶瞅着我愣了半天：“这么回事。”

“哪么回事？”我有点糊涂。

两个我认识的姑娘从远处走过，我跟她们挥了挥手。于晶用下颏点着那两个远去的姑娘问：

“过去你也常常带姑娘和你那帮哥儿们玩？”

“常带。”

“你们互相交换吗？”

“不，怎么这么说。”

“你们，你和那些女孩子睡过觉吗？”

“没有，你想到哪儿去了！我们只是一起坐坐。”

“你说过你不在乎。”

“我是打比方。我没和女孩子睡觉不是道德上有什么禁忌，而是我还没爱上谁。重申一遍，我不是流氓。一个人，就算他挺无聊，也不见得就非是个流氓。一个锅盖不能扣到所有锅上。”

“不知怎么搞的，石岜，”于晶说，“和你那些朋友在一起，总觉得我们像一对野鸳鸯。别人，那些行人、服务员看我的眼光也使我觉得自己不正派。”

“我还以为你喜欢在街上逛去呢。这样吧，以后到我家去。”

“你那个家和街上有什么区别，更臭。”

第二天，我打电话约于晶出来时，她不肯了。

“我不想出去了。我们快毕业演出了，排练很累，天又那么热。”

“我去你那儿。”

“不不，你别来。你这段时间不要来了，我没事了会给你打电话。”

“你烦我了是吗？”沉默了会儿，我说，“腻了？”

“是的。”她低声说。

我给车站问讯处打了个电话，问清去青岛的车次时间，然后把盥洗用具和换洗衣服塞进手提袋，出了门。

在街上商店我买了架减光镜，一顶遮阳帽，想到脚上的鞋涉水不方便，又进鞋店买了双凉鞋穿上，拎着旧鞋出来扔进垃圾桶。

到了火车站，车票已售光。我买了张站台票，一个在车站值勤的警察朋友把我送上车。

车厢里人很多，我补完票站到天津才找到座。一坐下，我趴在小桌上就睡着了。列车运行了一夜，停了很多站，很多人上来。我醒了又睡，睡了又醒，不时有人捅我问旁边有没有人，我迷迷糊糊一概说有。

早晨，车厢里已充满腥潮的气息，海开始在远方闪烁。很快，海水布满视野，舰船点点。平房、楼厦渐次密集，列车驶进市区。

我到旅店介绍处看了一下，到处客满，只能住浴池，便去大姐家里。姐姐姐夫都去上班。她的儿子放暑假在家，引一帮小朋友在家折腾，看我来了便冲我翻白眼。他去年到北京玩我对他很凶，他记了仇。我也不理他，放下东西就出来。这座殖民时代建造起来的城市，街道两旁都是陈旧的异国情调的洋房别墅，寂寥静谧的花园草坪。迎面走来的年轻人都很时髦，穿着各式便宜漂亮的舶来品。我走到海边马路，视界顿开，五颜六色的帆板在蓝色的海面上轻快地滑行。海滨浴场上趴满来自各地的旅游者和疗养者。那些童话般的彩色小木头屋已拆除，代之而起的是比肩紧簇的尖锥、帆、蘑菇形钢筋水泥更衣室。在夏日强烈的阳光下，那些粉红、果绿、乳白、米黄的屋顶衬着蓝天白云、清澈的大海分外醒目。沿海边新开张的豪华餐厅、咖啡厅比比皆是。整条街自由市场里水果、海货、瓷器和草编制品堆积如山。晒得黧黑、健康快乐的外地人吵吵嚷嚷地掏出大把钞票抢购。我拐进浓荫蔽日的浴场路，穿着泳装的少女三三两两吮着冰糕来回溜达，挎着救生圈的孩子成群结队光着脚丫打闹跑过。我在路边小摊上喝了两碗冰凉可口的当地特产啤酒，租了条裤衩穿上，踏上滚烫松软的沙滩，一路走向大海。

高大有力的波浪一道道涌上沙滩，戏水的孩子们被抬起，放至更高处。海水晶莹耀眼，鼓噪抖动，我急急扑向它，一道长长的浪涌来，我全身浸浮在泛着沫的凉沁海水中，我挥臂向海里游去，随着一波波涌跃至浪尖，又随着后泻的涌势，滑向另一道浪尖。很快我游离了喧嚣的浅海，游到潜不见底的深海。岸上隐隐传来警告涨潮、要游泳者返回的广播声，我丝毫不予理会。其实，逆潮得进，人借涌势，是最轻快不过的。我迅速地游动，四周已不见人头，只有此伏彼起的蓝色波涛，一望无垠的汹涌海面。我越过防鲨网的白色浮标，继续游向外海。海面愈开阔，海水愈明净，流霞漾彩，光华炫耀。游到一处海岬，我看到另一个海湾里舰船林立的桅杆；热闹拥挤的海水浴场；市区鳞次栉比的红楼绿树。温暖的海面下有寒冷彻骨的暗流出现。我掉头往回游，才发现自己游得太远了。我缓缓往回游着，感到身体一点点沉重起来，从昨天下午在北京上车我就没吃什么，又喝过酒。外海无穷无尽涌来的波涛追逐着我，把一个个冰冷的浪头砸在我头上，一次又一次将我覆没灭顶。我仓皇地边回头边拼命游，惊恐地感到腿肚子硬结了，就是说，要抽筋。我不得不放慢频率。又游了很长时间后，我绝望地精疲力尽了。沙滩仍是那么遥远，穿着点点彩色泳装的肉色人群无声无息地活动着，像是另一个快乐尘世的人们，蓝汪汪的海水无情地隔开了我，万籁俱寂，我沉了下去。我觉得自己变成一条鱼，在蓝蒙蒙的水里恣意潜游。“嘟嘟嘟”，一条漆着救生字样的海军汽艇翻着浪花驶来。甲板上的水兵用半导体喇叭冲我喊：

“你他妈找死啊，怎么游到防鲨网外面来了。”

我的欣慰立刻化为愤怒，踩水昂头冲他们喊：“你他妈管着吗，老子愿意。”

我继续闷头游着，不再理睬他们，汽艇仍跟在我身后。

“喂，”水兵又喊，“你要是不行，就上来。”

“走你的吧，你们那破艇的推进器搅得老子直呛水。”

“真他妈不识好歹。”

水兵们骂骂咧咧地把汽艇开走。

骂了一通，我觉得来了劲头，重新自如地游起来，游过防鲨网，我已再次信心十足了。身旁左右开始陆续出现忽隐忽现的人头，嘈杂的人声近了，沙滩上或躺或坐的男女清晰了。当我踉踉跄跄走上岸时，心里充满欢乐。我吃了一通冰激凌，躺下晒太阳，晒得灼热了，再次下海。这样，我晒一个小时，下海游一个来回；游一个来回，晒一个小时；当然，我没再越过防鲨网。

黄昏，我换好衣服走在退潮后镜子般光亮结实的沙滩上。夕阳停在市区上空，将血红的投影掠过层层叠叠的楼房，纵贯海面，射在我脚下。一家电视台的人扛着摄像机在拍海滩夕照，喝令我走开，我理也不理他们。一个人跑上来好言相告，我才让开。

回到家里，姐姐姐夫已做好饭在等我。我也确实饿了，把饭菜吃得一干二净，又吃了半斤凉饺子。饭桌上，姐姐就开始唠叨，说我这么大岁数还在晃荡鬼混，一点不考虑自己的前途；晒得像个煮熟的螃蟹；饺子不热热就吃，也不怕生病，现在夏天食物容易变质。我给姐夫烟抽，她也不高兴，说我抽烟她都不赞成，现在世界上肺癌发病率如何高。我说少废话，我又不是你儿子。

那些天，我整日泡在浴场游玩。在风景如画的疗养区从黄昏徜徉到半夜，临海揽胜，望着璀璨灿烂的星空想入非非。海边那些咖啡厅入夜都举办喧闹的舞会。山上的露天剧场、体育场也夜夜有“消夏音乐会”，音乐声、歌声飘荡在粼粼海面。隔海可以看到商业区明如白昼的夜市里熙攘晃动的人影。有时我也去一间格式像客船舱的咖啡厅舞场坐坐，我和那些水手装束的女招待混熟了，她们知道我不会跳舞，只是进去坐坐，便不收我的费。小城市有些地方比京城要自由些，没那么森严的等级。这个舞场是给中国人开的，附近宾馆里闲得无聊的外国人也常来光顾，很随便地和中国人结对跳舞，喝酒聊天，使我觉得有趣的是，多数外国人的舞（包括迪斯科）跳得并不如我们同胞潇洒和花样翻新，我很为我们的姑娘自豪。好像谁说过，她们到欧洲访问，在迪斯科舞场扭秧歌，走花鼓灯，甚至拉上大圈跑旱船，使在场的外国青年大为倾倒，竞相模仿——于晶说的，我脑子里闪了一下，接着，完全被回忆充满了；在一个开放的社会主义国家，若不是大使馆及时制止，那儿的共青团差点把她们拉到自然岛的裸体浴场；在另一个国家，每天日程结束，总安排两个很亲切很有经验的男人和她们一一吻别。我微笑着幸福地回忆。那天晚上剩下的时间，我很忧郁。

“你现在还没女朋友吗？”姐姐问我。

“没有。”

"我们医院有一个女孩子很好，就是上次我托她给你带东西的那个，也是北京的。"

"服了，我可不想要你们院那些嫁不出去的女党员。"

"谁嫁不出去，抢还抢不着呢。"姐姐愤愤然，因为她也是党员，"你还挺狂，人家还不一定看上你呢。"

"你管他呢，"姐夫说姐姐，"他还能找不着女朋友？现在个体户很吃香。"

"鱼找鱼，虾找虾，他能找着什么好人？怎么样？"姐姐又问。

"别烦了。"我说。

"好吧，我看着你。"姐姐说，"看你打一辈子光棍儿。"姐姐看我沉着的样子可疑，不禁问："你是不是已经有了，瞒着不告诉我？"

"没有没有。"我笑。

"有他能一个人跑出来玩吗？"姐夫看着我说。

"是不是有了？"姐姐不信，打量着我一再问。

"有了。"为了干脆点，我信口说。

"干什么的？长得好吗？怎么认识的？"我失了策，招来姐姐的排子枪。

"跳舞的。"我也不知道为什么这样说，连我自己也觉得煞有介事，"就那么认识的。"

"干吗找个跳舞的，"姐姐挺不以为然，"找个搞文艺的。"

"怎么啦，你瞧不起？"

"那倒不是，就是将来你们节假日休息不到一起。"

我笑了："我不在乎。"

"其实我倒觉得你原来那个女朋友挺好，你干吗和人家吹呀。真的，你干吗找个搞文艺的？"

“你怎么断定搞文艺的就有问题？”姐夫说。

“我不喜欢。”

“那是你的事。”

“我不也是搞文艺的。”我说。

“你？”姐姐轻蔑地瞧我一眼，“你是要把权的。”

姐姐姐夫又问了些于晶的情况。我告诉他们，于晶是我们国家花鼓灯头子之一，第一届舞蹈大学生，她的几个保留节目常去给首长外宾跳堂会。末了，我补充说，她和我吹了。姐夫很开心，姐姐则气得再也不理我了。

由于连日暴晒，我得了浅度灼伤，回北京后，一层层蜕皮，模样没法让人看。生意也很不顺手。委托我的一家公司开空头支票，银行顶了票，卖方交了货收不上款，直要跟我玩命。我带上他们一起去那家公司玩命。后来虽然凑足了货款，可关系搞僵了，非但没拿到佣金，先前垫的交际费也报不了销。我不在北京期间，还有几批到货，不知哪个混蛋在我家接的电话，提走倒给了别人，让我那几个买主白等了一场。少赚几个钱倒无所谓，可我的信誉完了。这几件事传出去后，没人再敢跟我做生意，我的饭碗等于让人端了。

我把闲人统统轰出去，门上换了锁，蹲在房里写小说。写了几万字，自己看都得捏鼻子，只得又撕了。我耐心是有的，可钱包告罄。又过了几天，方便面也只能一天吃一顿。我想起有部电视剧还欠我点稿费，就跑去要。制片主任说我不能再预支了，剧组出外景拉了个大口子，所有单项预算都要减，最后没准还要我吐出点预支的稿费。我跟他讲了我的情况，他说要不他私人借我点钱，我只得转身走了。

满街都是吃过晚饭、穿着裤衩背心为中国女排击败大老美兴高采烈的人群。大小饭庄子在马路边支起一溜油锅，烤羊肉串、爆肚，卤煮火烧的香味在爽人的晚风中弥漫，诱得过往行人垂涎三尺，驻脚在已经鼓鼓的肚子里又塞点玩意儿进去。连要饭的都吃得满嘴油亮，心满意足地跟在警察后面去收容所。我兜里还有几毛钱，凉面什么的还吃得起，可我一点不想吃，我走进一个暮色朦胧的公园，想在湖边的椅子上找个位置，处处都坐满了一对对情人，旁若无人地接吻。我在一对情人面前站下，严肃地看他们，他们接着吻反感地瞪我；我继续一动不动地凝视他们，这对可怜的情人实在无法保持冷静，松开嘴，忿忿地起身走了。我走过去占据了他们的位置。

月亮升起来，树木花草石桥甬路都洒上银色的光霜，黑黢黢的船影轻轻地从恬静光洁的湖面一只只滑过，响起轻微的溅泻声……

清晨，我被一只手推醒，发现湖上游弥着如烟如纱的雾，岸边的草、木椅、我的身上都湿漉漉的，于晶穿着蓝运动衣，气喘吁吁站在我面前。

"怎么跑这儿睡觉来了？"她一点也没掩饰她的吃惊。

我一时没醒过梦，没回答。

"出了什么事？你怎么搞的这么狼狈，又黑又瘦。"

"什么事也没出。"我清醒过来，信口说，"我想早晨出来呼吸新鲜空气，走到这儿又困了。"

于晶瞪着黑黑的眼睛瞅我，皱起眉头。我站起来，蜷缩太久，腿都麻了，停了片刻，血液才开始循环流通。我往前走，于晶不吭声地跟在后面。过去我也挨过饿，从没像这次饿得这么狠，像个真正旧社会的穷人，晃晃悠悠，脑子都有些不清醒了。嫣红的太阳柔和地停在乌蒙蒙的半空，一点点亮起来，放射出刺眼炫目的光芒。

“你没吃早饭吧？”

我差点克制不住自己，我受不了她说话的口气，就好像我们昨天还见过面似的。我哑着嗓子说：“我一般不吃早饭。”

“怎么能不吃早饭？胃要坏的。那边有卖油饼的，我去买。”

“不要！”已经跑开两步的于晶站住，慢慢地回过头，“不要，”我尽量和气地说，“你要吃你买，我不要。”我笑笑。

于晶始终跟着我走，那忧虑、担心的神态，似乎一不留神，我就要去跳湖。我停住对她说：“你别跟着我了，该干吗干吗去。”她仍一步不落地跟着我。

走到儿童乐园，我坐在一个秋千蹬上不走了，问站在一边的于晶：“你有事吗？”

“没事。”她把脸扭向一边。

“我有事，我在等人。”

于晶异样地看我两眼，走了，跑着走了。

我两手抓住吊索，往旁边看了一眼，一个来回荡着秋千的小姑娘在看我。她把秋千荡得很高，从空中瞅我，也不回避我的目光。我冲她笑笑，站到踏板上悠起来。可是不行，悠不高，我记得小时候会悠的，那韵律我都忘了。

“得蹲下去。”小姑娘慢下来她的秋千，抱着吊索对我说。

我试了两下，笑着说：“不行，我不行。”

“我教你。”小姑娘跳下秋千跑过来，我让她上了我的秋千，“这样，这样不就悠起来了？喂，你瞧我呀。”

小姑娘下来，又让我上去悠。悠起来一点，还是不高，我有点心慌。

“真笨。”小姑娘数落我，“要不，你坐着，我摇你。”

“那怎么行？”我连忙从秋千上下来。

“怎么不行？让我摇你嘛。”

“不行不行，我这么大，哪能让你小孩摇。都是大人摇小孩。”

“没关系，我愿意摇你，让我摇嘛。”

我不顾小姑娘的恳求，斩钉截铁地拒绝了她。

回家的路上，我觉得自己既不幸又坚强，甚至很有点被自己感动。可很快，又嘲笑起自己的不屈。到了家，我已经很后悔没吃于晶的油饼了。尽可以吃得很自然嘛。我打开冰箱，只有半罐冷果酱，我拿出来吃了，关了冰箱，又喝了几杯热茶，觉得精神好了点。有人敲门，是收水电费和房租的，几个月累计，我已经拖欠了上百元。我说没钱，收钱的人不走，说找我一趟不容易，要跟我好好谈谈。我赌咒发誓说下星期一定交上，才把他们打发走。邮局夹在当天报纸里又送来催交下季度报刊费的通知。书店也来了信函，说我订的《中国人名大辞典》已经到货，让我马上交钱提书。还有牛奶站那个热心肠的姑娘来敲了我八遍门，问我下月还订不订牛奶，我说不订了。找出几十斤面票，到街上和农民换了若干个鸡蛋，煮了吃了。睡了一觉。晚上，找了块破浴巾披在肩上，去丰台火车站货场扛大个。

我连干了三个晚上，卸了两车皮红橘，一车皮煤。一车皮给我二百块钱，交工头二十,三车皮我挣了五百来块。

我到街上澡堂洗了个澡，搓了搓泥。搓澡的老师傅要我交双份钱，我跟他解释说我刚从西藏回来。洗完澡，我买了一些“天福号”的酱猪肘，孩子似的无忧无虑地回家。

我坐在桌前一手啃肘子，一手算账，觉得自己蛮可以像女人一样把生活安排得井井有条，终日温饱略有节余。可一算账，我才想起，我还有两千块钱旧账，那是上次潦倒时借的，因为是朋友的，我都给忘了，有钱时也没还，现在只好干瞪眼。反正也是不够了，只好继续对不起朋友了。我把房租水电报刊书费交了，躺在床上想是不是再去扛几天大个，又觉得不行，再扛非把命搭进去。过了会儿，打起嗝，满嘴腊味。我点了根香，找出瓶不知谁丢这儿的香水漱漱口，剩下的都倒在床上，拉上窗帘，香喷喷地睡觉了。

我从下午一直睡到夜里，做了一连串的梦，前几个还不错，净是捡钢镚儿之类的。一地亮闪闪的硬币，我兴致勃勃地捡，一分二分都不嫌，捡了这半天，又热又累，想歇歇又怕别人发现也来捡。后来发现一个偌大的白晃晃的钢镚儿，伸手去拾，竟是一口痰，好不扫兴恶心，张着肮脏的手找水。接着我梦见自己在海里潜泳，水里既清澈又乌蒙，身体既轻巧又沉重。我在水里惬意地躺着，任其下沉又时时感到沙发床般的浮力在托着我，那感觉实在奇妙。后来沉沦得久了，想呼吸口空气，却游不出去了。四周净是蓝蒙蒙、毛玻璃般的物象，你进它退，你退它进，挥驱不散，愈挣愈紧密。我窒息了，心知是梦，却醒不过来。在梦中一次次掀被而起，一次次复归原状。我的意念升起焦急地俯视着自己的肉体，那皮囊竟如无知无觉的木头一般。

“啊——！”我终于在无声的悸叫下醒来，拉亮灯，坐起来待了半天，外面已经黑了。我走到盥洗间用嘴兜着水管子喝了通自来水，镇静下来，想了想梦中的情形，既沮丧又庆幸，不敢再睡，怕再被魇住。搬出这些天的报纸信件在灯下看。

从海滨回来，我就没怎么看报，也不知世界和平怎么样了。看完报放了心，除了契尔年科总书记身体不太好，两伊继续互相恫吓，黎巴嫩和安哥拉都很平静，连我最担心的印度锡克族暴乱也在渐渐平息。《晚报》上的一条国内消息让我看了很久。舞蹈学院应届毕业生编排的民族舞剧《屈原》已经公演了，似乎还得到好评。我推开报纸，拆信看，都是陌生读者来的信。我前些时候发了一个小说，使一些年轻人挺激动。纷纷来信问到底是怎么回事，我是谁。有个人已经来过三封信了，要我帮他出主意应付生活中的几个难题。我回信叫他看着办。我可不想当教唆犯，自己还一塌糊涂呢。他回信骂我不如人家玲玲姐。有封信写得温柔凄婉，像个过来人，还是女的写的(看名字看不出性别)，招得我回忆起一些往事，很难受。她劝我应该珍惜一些东西。我的一个文学老师，一个老编辑的来信则使我又羞又愧。他温和地责备我这段时间不去他那儿，叫我和他保持联系，他想知道我在干什么。并告诫我，有些事情作为了解，站在边上看看可以，千万别掉进去。唉，每回我去他那儿都说得很热闹，似乎活得津津有味。其实呢，和这些安贫乐道、诲人不倦的老师比起来，我活得像个没孵出来的鹌鹑。我不愿这么头脸不整地去见他们。其实，即使是一个男人，背人哭一哭也没什么，可我还是忍住了。

电话铃响了，响了又响。我不知道谁这么晚还会来电话，擤了擤鼻涕，走过去拿起话筒："谁呀？"

"我。"

我听出来是谁，沉默了一会儿，还是问的那句话："有事吗？"

"没事，想跟你说说话。"

"……这么晚了，你还没睡？"

"刚演出回来，洗完澡，睡不着。"

"睡去吧，明天还要工作。"

"好吧……"

“没事，来我家玩吧。”

“好。”

“我天天在家。”

“好。”

我已经流了会儿泪，使劲把它们擦去：“喂，你还在吗？”

“嗯。”

“……咱们见面再说吧。”

“好，那再见。”

“再见。”

我拉开门，于晶冲我笑笑，我也笑笑，让她进来，我觉得似乎该说点什么，又不知说什么好，也就没说什么。她拎了一网兜肉菜食品，把我的冰箱装得满满的。然后到厨房洗菜切肉做饭。我默默地看着她忙，突然想起该帮点忙，找出件旧围裙给她系在腰上。她一边费力切着冻得很硬的肉，一边说：

“你忙你的去，我自己行。”

看我不走，又对我说：“要不你去买点油和作料。你这儿瓶子挺多，都是空的。”

“酱油要不要？醋要不要？”我往篮子里装瓶子，一件件挨个问。

“都要，厨房里该有的都要。”于晶认真说。

我索性带上购货本，把粉丝芝麻酱碱面都买了来。我连跑带颠地跑回家，于晶正在煎鱼，油烟弥漫，我把我的一顶旧军绿帽子给她戴上，使她像个硝烟中的女八路。

“嗯，”于晶问，“待会儿你有朋友要来吗？”

“没，你没瞧我连锁都换了。”

于晶不再说话，埋头做菜。她活虽然慢，却很细致，很有条理，很周到，每道菜总要先尝尝再起锅。忙里余暇，见我还站在那儿，就用肘推我：

“你别陪我在这儿熏烟，看书去吧。”

为了证明我待在厨房里有理由，我拿起刀剁她放在案板上没来得及切的一根葱。我不大会干这种事，又左顾右盼，故作潇洒，切了自己的手指。

“你要真想帮忙，就出去吧。”

我捏着指头垂头丧气地从厨房出来。一会儿，于晶端菜出来问我：“要紧吗？”

“不要紧。”

“你可真笨。”

“是啊，我原以为我样样都行，看来不是这么回事。”

菜都炒好了，摆了一桌子。这些年，我也吃过很像样的饭，可是……于晶炒的菜属淮扬菜系，又甜又酸，山楂糕味，不过那种久违的味是足了，就是自己锅里透出的家常的亲切味。吃着吃着我产生了恍恍的先视感，好像从前有过这么一天，也是这样坐在桌前，安详地吃饭，没有外人。吃完饭，我在水池洗碗，水滴答滴答流，于晶在外面轻手轻脚擦桌子，餐凳发出轻微的挪动声。

“我在炉上烧了壶水，你想着点。”

“嗯。”

我低头答应着，简直无法从那种感觉中自拔，深深地沉溺了。

晚上，我去看《屈原》。于晶在化妆，我拿她的香皂在后台洗了个澡，通体舒坦地溜达到大排练厅里，穿着古代衣饰的演员在聊天、活动身体。一个村姑打扮的女孩走过来和我说话，我瞪着眼睛瞧半天，才认出是小杨。

“这打扮我都认不出来了。”

“看见晶晶了吗？她在化妆，我给你叫去。”

“不用，我见到她了。”

“这段时间没见你，到哪儿跑买卖去了？”

“哪儿也没有，在家忍着呢。你也不来看我。”

“哟，说得多可怜。”

我问小杨是不是该毕业分配了，她说演完《屈原》就分。我问她能不能留北京，她说够呛，文化部有个文件，凡边疆少数民族地区的，分配时优先考虑地方要求。她那个团又抓住她不放，怎么说都不成。

“搞艺术，还是在北京好，机会多。”

“当然了，还用你说。”

“晶晶能留北京吗？”我缓缓问。

“她嘛，差不多。”小杨看我一眼，说有家声望很高的歌舞团提出要她。

“其实分哪儿都一样。”我喜笑颜开，不腰疼地说，“北京人才济济，地方一枝独秀，也是各有短长。”

小杨不爱听，我们换了话题。她说她家在下关有几间铺面房，我说可以开个卖服装的杂货店。从广州购进，铁路到昆明，然后用军车运到下关，只是不知销路如何。小杨说销路没问题，边境地区从来都是很时髦的，穿着牛仔裤刀耕火种。

“我可没说着玩，要干咱们就真干。”

“我也没说着玩，干就干。”小杨说，“我这舞跳得也够灰心的，干脆双管齐下，回去要没劲就当老板娘去。”

“这年头，”我笑着说，“都是曲线救国的路子。国军皇协军不分。”

这时，要开演了，演员们拥出来，小杨也跑走了。

我下到剧场里，已黑了灯。幕拉开后，我看到前排还有些空座位，就和其他观众呼啦啦往前拥，换了个座位坐下。我使劲在台上的演员中找晶晶，那些脸搽得粉粉的女孩子看起来都一样。直到后来一个女子挺剑自刎，我才想起这人就是晶晶，可她已经死了，被人拖下去。

“你觉得《屈原》怎么样？”

晶晶问我。她嘴里含着饭，犹豫着不知夹哪个菜。今天菜是我做的。西法红烩牛肉有点狐臭味。

“吃吃，别客气。”我自己喝了口汤，“还不错，我说《屈原》。那些小橘子跳得挺喜人，身段袅娜，我爱看人数众多的群舞，变队形就漂亮。灾难舞不如上海的《木兰飘香》,没什么气氛。当然，除了你……不能吃就别吃了。”

我看晶晶嚼着臭烘烘牛肉的难受样儿，笑了。晶晶也笑了，把牛肉吐出来：

“炒的什么玩意儿呀，真难吃。”

“主要是牛不好，老死后还停了两天尸。本来这菜我挺拿手。”

“就会吹牛。”晶晶把碗里的牛肉全扒拉到桌上。

“你还是给人印象比较深的，我就是不认识你也注意到，死得很突出。”

“还会拍马屁。”

我涨红脸大声继续说：“男演员实在让人没法恭维，包括屈夫子，就会剑指问天，什么呀，《蝶恋花》。”

“你还这个瞧不起那个瞧不起的，你去跳跳试试。”

“我也不是这方面的专家。”

“你是什么专家？”

“我很为我们的民族舞剧担忧，这样下去，会连我们这种相当宽容的观众也失去的。如此矫饰、机械，毫无意趣和演技。女演员抢尽风头，把男演员仅有的那点可怜的光彩也剥夺了。使男演员成了难以想象的奇形怪状和不体面的某种东西，只能像搬运夫那样显露肌肉，卖卖力气。”

“你还行嘛。”晶晶瞅着我，“挺有见地的，可这话我怎么听着那么耳熟。”

“耳熟？”我装糊涂，“别人也说过这话？看来，群众的眼睛是贼亮的。”

吃过饭，我看到晶晶在我房内翻书，忙冲过去夺，她灵巧地闪开，笑着对我晃着说：“你看东西真是过目不忘啊，现炒现卖。”

我笑着说：“我也没想在你跟前卖弄，原意是想跟不懂的人吹吹，可也挺贴切是不是？我确实为如此糟蹋男演员愤怒。”

刚才我对男演员的议论，几乎原封不动引自美国人理查·克劳斯所著《芭蕾简史》里戈蒂埃对一八四〇年法国芭蕾舞台上男演员的批评。

我戴上耳机听歌，晶晶低头削京白梨，我们都爱吃这种汁多绵软的水果。晶晶递给我一个，又给自己削了一个。吃了两口，张嘴无声地说了句什么。我忙挪开一只耳机：

“你说什么？”

“你是要去云南开店吗？”她的声音大了。

“小杨告诉你的？有这么回事。”

“怎么想起一出是一出？”

“这可不是心血来潮。我一直梦想有一间自己的店铺，好当家做主，从领导、父母给我气受那天起。”

“你不是被哪儿驱逐回国的吧？”

“不，不是，我是土生土长的中国人。生在这间屋子，长在这间屋子，就像俗话说的：生在红旗下，长在蜜罐里。”

“一点看不出来。”

“我可认为自食其力没什么不光彩。我们从小到大已经让公家操碎了心，就业、婚姻都得公家一手操持。就像一个已成年的孩子总住在父母家，公家慈祥，不说什么，咱自己也不好意思。而且，明摆着，公家也顶不住了。”

“噢，这么说，你也算开拓型干部了。”晶晶欣赏地看着我。

“不敢当，小的溜的吧。”

“你比我好呀。”她叹口气。

“怎么？”

“就是好嘛。我们，舞蹈演员，小儿麻痹，长不大，三十就成了豆腐渣，不像你蒸蒸日上。”

“不是也有很多老同志还活跃在舞台上，风韵犹存。”

“我可成不了那号精。说真的，”晶晶说，“将来你要真成了个肥胖的百万富翁，我要饭要到你门口，你可不能装作不认识。”

“你还不知道我，像百万富翁吗？人家都说我是当代活‘愚公’，用嘴侃大山，每天不止。”

我们都笑了。笑了一阵，晶晶看看表：

“哟，净胡扯了，我该去剧场了。”

“来得及，”我也看看表，“我还有个建议没跟你说呢。”

“什么建议？”晶晶站起身拎上化妆箱。

“先问你，有男朋友吗？”

“你指哪种？我有一簸箕。”

“我指可以结婚的男朋友。就是说不一定非结，但结也无妨的那种。”

“没有，目前没有。”

“想有吗？我有个合适的人选向你推荐，你可以试一下。”

“你不是想推销自己吧。”晶晶笑起来，怪有趣地看着我。

“是我自己又怎么样？关键是货好。你没发觉咱们俩挺合适？你不漂亮，我也不漂亮；你日暮途穷，我孤苦伶仃。”

“你这些废话待会儿再说吧。我二幕三幕没戏，你到后台来找我。”

“你不吃点东西再走？”我洋洋得意地送她。

“我包里有巧克力。”

“别吃那玩意儿，又该上火起疙瘩了。”

“我说，”晶晶又羞又气，“你要老纠缠细节，我就给别人当女朋友去了。”

“对不起对不起。”

在剧场里，我遇到一个朋友，他正为一个人看舞剧要打瞌睡而忧心忡忡，见到我大喜，和我旁边的人换了票，坐在我一旁嘴巴不停地说起话。他怀疑他们单位领导是隐藏很深的“三种人”，准备向上级纪律检查委员会检举。我问他怎么知道的，“文革”时他才上小学。他说那个领导长得像。他愤愤地抱怨领导诬陷他是经济犯罪分子。这我倒挺同情他，我知道他不是，虽然偶尔当当掮客，除了蹭过几顿便饭没拿过一分钱。

接着他又问我国家干吗请三千日本人来玩，他们干吗不请咱们？我说这事没人跟我商量过，我也不清楚。

“你在谈恋爱是不是？”他借着幽暗的光线审视我，“一副魂不附体的样子。”

“没有啊，”我把目光从台上舞姿婆娑的晶晶身上收回，“没有没有，你看我像谈恋爱的人吗？”

“千万别结婚，石岜，听哥哥的没错。你本来可能还有点出息，一结婚就全毁了。婚前蜜糖似的，婚后，女的瞧男的不殷勤了，男的瞧女的不新鲜了。我就不打算再结婚。”

“我不结，答应你。”

我一边和那个朋友前言不搭后语地胡扯，一边继续看台上跳来跳去的晶晶。她跳完编织舞，退到一旁席地而坐当观舞的民众，她们在台上也聊天。过了会儿，我见晶晶往台下观众席上看，断定她看到我后，便做了个“八”的手势，她轻轻点点头。

“你给谁打手势，你给谁打手势？”我那个朋友好奇的都快疯了，拼命伸着脖子往台上找。

“好哇，和舞蹈演员勾搭上了，走向深渊。”

“我得去帮农民兄弟点忙。你别跟着我，”我厌恶地说，“我拉屎可臭。”

“我也没把你当成麝香牛。”

我在厕所里待了半天，才出来，那个朋友也走进休息厅，东张西望地找我。我刚想藏，已被他发现，飞跑过来：

“你千万听我一句……”

“去你妈的吧，”我挣开他，冲他脸大喝，“我他妈愿意毁了自己。”

我逃出剧场，那个朋友摇头叹气踱回观众席。满台都是腾挪跳跃的王侯将相、妃嫔宫娥以及渔人樵夫、甲士村姑。

第一幕结束，演员们拥进后台，边走边拔头钗摘耳环，一溜小跑冲进各化妆室抢妆。八点多一点儿，晶晶换完装出来，薄薄的舞衣袖袂飘飘，远远看见我就笑嘻嘻的，越往近走，越发笑成一朵花。我看着她，觉得她真是很好看。

“你笑什么？”

“瞧见你我就想笑。”

“你笑什么？”我拉晶晶坐在后台门口的石阶上。

“你瞧你吧，穷得叮了咣当响，还挺沾沾自喜，四处跟人说要发财，简直像个骗子。”

“我哪四处跟人说了，不就跟你说过，也是说着玩。哎，我那个倡议你考虑的怎样了？”

“你还真要这样呀，我还以为你说着玩呢。”

“试试吧，怎么样？不行就拉倒，什么也不影响。我问你，你讨厌我吗？”

晶晶摇摇头。

“那就这么定下了。”

晶晶光笑不说话。

“别光笑。”我说。

“试试就试试。”晶晶说，“以后你对我好吗？”

“当然要比现在好。”

我们相视而笑，晶晶用水袖掩住嘴。我们侧耳听前台音乐，屈原已经将黜，痛不欲生。

“你该进去了。”

“再待会儿。”

“进去吧，”我推她，“散场我在大门口等你。”

晶晶依依不舍，一步三回头地进去。

那些天，我是《屈原》最忠实的观众。还掏钱买票，请朋友们的客，拉大批闲人来捧场。晶晶跟我说过，一个再谦逊的演员也是很在乎观众掌声的。她很伤感地告诉我，她第一次登台跳什么“大寨，亚克西”时，下台听到一片掌声热泪盈眶，别人无情地告诉她，那不是掌声，是拉幕的隆隆声。现在她如愿以偿了，每当她宛转痛苦死去时，总能听到雷鸣般的掌声，虽然这掌声显得那么没心没肺。

散场后，我就在后台门口等她。她梳着头发跑出来，我们沿着幽暗寂静的街道走回家。北京的夏末，街上摆满鲜花，夜晚清凉的空气中浮动着浓郁袭人的花香。我把家里的窗户终日敞开，这样，晚上回到家就能嗅到满室芬芳。晶晶演出完总要喊饿，我们就搞点简单的夜宵，咖啡和馒头夹奶粉。我有一罐咖啡豆和一罐速溶咖啡，我常搞错，使咖啡味道一塌糊涂。

“为什么不喝茶呢？”晶晶问我。

我先说喝茶有点老气横秋，又说喝咖啡显得绅士，最后承认茶水使我走肾，夜里睡不踏实。我说过，我对婚前性行为持宽容态度，很使晶晶紧张过一段。后来她了解我后才安下心，我是典型的语言上的巨人，行动上的矮子。

“你没觉得我其实很腼腆吗？”

“不，没觉得。”

“我从小就很害羞，很胆怯，为了掩饰这个缺点，我才学吹牛说大话，故意胡闹。可直到今天，我仍像一个经常手淫的中学生那样怯懦自卑。”

“你是说你其实像天使一样纯洁？”

“那倒不是，”我不好意思了，“没那么白。”

我告诉晶晶，我过去的确谈过几次恋爱，在我这个年龄也是正常的。但我人基本上是正派的，至少我自己这么认为。

有时，我们喝完咖啡很兴奋，坐在灯下彻夜长谈。我也问晶晶：

“我什么地方，嗯，吸引了你，让你这么喜欢？”

“我说过我喜欢你吗？”

“你说过不讨厌。”

“我也说不上来，”晶晶想了半天仍这样说，“我说不上来，就是喜欢呗。你很爱钱？”

“是啊，”我说，“这有什么不好？”

“没什么不好。我也爱钱，所以喜欢你。”

“别这么赤裸裸，晶晶。”我求她，“这太打击人情绪了。起码心里这样想，嘴别说出来。”

晶晶和我大笑，笑得喘不上气。

“好吧好吧，”晶晶说，“那我说我喜欢你是因为和你在一起可以不谈人生大道理，我感到轻松。”

“还能再热情一点吗？”

“我可以为你死，你能吗？”

“不能！”我吓了一跳。

“真是的。”她似乎挺失望。

“你能为我死？”

“是的。”

我把窗户大开：“你从这儿跳下去。”

我们又笑起来，笑得很厉害，我把窗户关好。

“你说，陷进你死我活的感情中是不是特傻？”

“是你叫我热情点的。”晶晶点起一支烟，懒懒地说。

“我不想陷进去，我不想丧失也不想看别人丧失独立的人格。”

“怎么，你害怕了？”晶晶看着我大惊小怪地喊，“吓成这样，简直面无人色了嘛。”

“没有，我根本就不是怕，我是在坚持我的原则——我是个原则性很强的人。”

“放心，”晶晶打了个哈欠，“用不着害怕，要是将来你对我说‘拜拜’，我就对你说 OK。”

晶晶早晨起床，一般都很早，不管晚上睡得多么晚。她像一匹精力充沛的小马，不停地在屋里跳跳蹦蹦，搞一些空中劈叉击打、腿的曲直伸拉之类的名堂。如果我还在睡懒觉，她就拼命砸门，大声放收音机，把我闹起来。然后拉我出去跑步，说我的身段实在不像话，再下去就甭想冒充演员往剧场里混。

我们俩沿着阳光初洒的大街跑步，呼吸新鲜空气。跑完步气喘吁吁站在路边吃焦脆的炸油饼和松软的烤白薯。晶晶爱吃烤白薯焦黄的皮，我就把皮都剥给她。晶晶过马路不管什么交通规则不规则的，任意乱走。我批评她，她也不听，警察吼她，她才往人行横道跑。警察叫她过去，她冲人家笑仍走自己的路，多数警察也就一笑随她了。我过马路规规矩矩，可有时爱随地吐痰，卫生警察抓住就毫不客气地在众目睽睽之下罚款，根本不听我有鼻炎的申辩。搞得我一见大壳帽就神经紧张。现在街上大壳帽又多，连邮递员也神气得像将军，一惊一炸的，我是不爱上街了。常常是我受了一肚子气，执意回家，撇下晶晶单独去自由市场买菜。南方女孩子从小就拎着篮子上街买菜，都有一手讨价还价看秤的绝活，北方再精明的农民也坑不了她们。我很放心晶晶，每次她都能买回又便宜又好的蔬菜。就是她也有一般南方女孩的毛病，逛市场一上瘾就刹不住车，转遍全城也要买回那几根最佳黄瓜。

她兴冲冲回来时，我已急得胡思乱想了，对她发脾气：“到哪儿去了？一上午。”

“买菜去了，你瞧这几根黄瓜多嫩，顶着花呢。”

“犯得上吗，不吃行不行？”

“我怎么啦？”晶晶委屈地说。

“知道吗，”我口气和缓下来，“晶晶，有时我老觉得我们好得不真实，像场美梦，特别是你一不在，我就恍惚受了什么幻象的蛊惑。”

《屈原》演完后，舞蹈学院开始毕业分配，晶晶如愿分到一个在观众中颇有人缘的歌舞团。

“我到团里以后就不来你家了。”临报到那天晚上，晶晶嗑着瓜子对我说。

“那你去谁家？”我在看博伊尔的《背叛之风》，没抬头。

“我天天来影响你不能干正事，我自己也好长时间没学习。我妈妈都来信说我，不能光谈恋爱——虫！虫！”

晶晶忽然指墙上说。

我抬头一看，有只蟑螂爬在墙上。我用书将它打落，铲起举到晶晶面前。

“别闹，你别闹。”她把我手推开。

“你刚才说什么，以后不来了？”我把蟑螂尸体开窗扔下去，坐回桌旁问。

“少来。我到团里就不整天泡这儿了，我要学习了。”

我嘻嘻笑起来。

“怎么，你看不起人。”

“哪里哪里。”

“反正我以后，一星期来一次。”

“随便，”我说，“你要想我，我可管不着。”

晶晶去团里报到后，真的很少来了。倒也不是“学习了”，团里国庆后要推出一台新歌舞，排练很紧张。

我去团里看了她一次，她跟我小小地诉了一下苦。对住在兵营里，楼上楼下都是军人很不习惯（那个团挺可怜，没有自己的房子，一直借部队的房子住）。对被团里取消了探亲假也一肚子牢骚。她很想家，她父母也真疼她，不停地给她写信邮包裹。我对她说：

“别老让你父母给你寄东西，就像我对你关心不够似的。”

“是很不够，你怎么比得上我爸爸妈妈，他们对我才是真好。”

“你老说这种话，”我伤心地说，“使我痛苦。”

“嗬嗬，”晶晶笑起来，“别假招子了，我都要起鸡皮疙瘩了。”

“我是真的。”我执著地说。

“好好，”晶晶安抚我，“你是真的。我爸爸妈妈对我好，你对我也好。”

第一场秋雨下过，我飞往南方。

一个很有知名度的舞蹈家，因为岁数大了，准备告别舞台，但又不想就此赋闲。好在家乡是南方一个近几年开始繁荣的边境城市，土地税金都很低廉，政策也宽，便打算在那儿成立一个私人舞蹈团，再附个舞蹈学校，把她的武艺一棒一棒传下。那个城市本是个边境小镇发达起来的，虽说写字楼、酒店、工厂一夜之间林立了，文化方面仍是乡村的、外来的。全市只有一家影剧院，电视一开，又总是境外那个殖民地制作粗劣、处处‘穿帮’的武打长片。党的宣传部门也很挠头，一听这个舞蹈家的打算便欣然允诺，大开绿灯，市府给划了地投了资。一些一直为本乡出了个世界闻名的艺术家自豪的华裔阔佬也慷慨解囊。但那毕竟是高度商业化的地方，又无实力雄厚的基金会支持，孩子生下来养活他便是件难事。指望民族舞赚钱是做梦，一台普普通通，并不华丽的舞剧，服装道具就十几万元。票价又不能超过一斤猪肉钱。演员也不能像国家剧院的演员，一晚上几毛钱打发了。商业演出是无利可图的，唯一的办法就是同时兴办一些经济实体，酒吧、舞厅等等，以副养农。这个舞蹈家是艺术圈出来的清白人，跳舞是没的说，知道好歹，赚钱可就两眼一抹黑，蒙了灯。于是，不少有名无实的公司提出和她合作，帮她管理买卖，共同壮大。我的一个朋友开的野公司也加入浩荡的竞争行列，并为此派了个能说会道的家伙驻在当地游说；可那个家伙忽然失踪了，我的朋友急得十年没犯的癫痫都犯了。他不知听谁说，我认识那个舞蹈家一个深受信任的助手，便立刻委托我个经理（据我所知，他那个公司的人都是经理），支了一笔钱，让我接手这事。我不忍看他为这事把命送了，便慨然去了。

南国仍是盛夏，挥汗如雨，我在省里办了边境通行证，乘民航的直升飞机抵达那个边境城市。这里说是个城市，不如说是个尘土飞扬的大建筑工地。到处是吊车、预制件、未竣工的摩天楼和道路，操着南腔北调的建筑工人们在烈日下卖力地干活。已建成的商业区倒是繁华热闹，买卖兴隆，等待出境的侨胞熙攘满街。入夜，那些收汇的餐厅酒吧灯红酒绿，香港和内地的三流歌星荟萃，通宵唱着流行歌曲。喝得醉醺醺的外国技术人员、黑市商人和举止可疑的浓妆少女聚在一起寻欢作乐。

我在这儿遇到一些老朋友。有的是取得学历后被招聘来的；有的我原以为已经坐了牢；有的老老实实拿着几百元人民币谨慎度日；有的趁机猛赚钱已成了小富翁。他们给了我各种互相矛盾的劝告。

我在报上登了寻人启事，当天便接到公安局的通知，说我找的人关押在他们看守所里。我以领导身份去了趟公安局，了解到这小子原来没给公司办事，炒卖外币发了笔小财，买了张假护照跑到东南亚逛窑子，花光了钱才回来，还染了身脏病，目前狱医正给他注射大剂量青霉素，不日将解回内地劳动教养。我十分懊丧。又从朋友处听说那个舞蹈家已找到合作者。我认识的那个助手也不在此地，不是在上海家里休假就是在福州帮人家排舞剧。我给北京打了长途，总经理让我等几天，务必见到那个助手，把情况搞清楚再说。

我在一家餐厅吃饭时，碰到一个中学女同学刘华玲。我简直不敢认她了。过去她是个胆怯、漂亮的女孩子，很多男孩子追她，我也给她写过纸条，冬天放学后，我们在昏暗的街道拐角偷偷接过吻。后来她和一些年龄大的男孩子混在一起，我见过那些戴羊剪绒皮帽、穿黄呢大氅，每天晚上用冰刀互相往脸上剁的野小子轮番拉着她在什刹海冰场滑冰。一个下雪的晚上，我还遇见她被家里赶出来，一个人在铺满白雪的街道上边抽泣边茫然地走。后来我去当兵,不知她干了些什么。一晃快十年了，没想到在这儿见到她，珠光宝气，端庄丰腴，一副有钱单身女人的豪奢派头。

饭后她请我去酒吧听歌。聊起来才知道，她一九八〇年和一个叫戴维的外国人结婚出了国，取得外国籍后，便和那个洋鬼子离了婚，靠一大笔赡养费悠闲度日。

“这么说，您现在是外宾了。”

她矜持地笑了，说她还是爱中国甚过爱她前夫那个国家。她现在新加坡定居。“那也算个华人国家，没有肤色问题。”

“你现在算干什么，回国观光？”

“对。”

她说实际上她每年大部分时间都泡在国内，这儿毕竟是故国，气候、民俗、语言都熟谙：“告诉你，我还从没有过是个外国人的感觉。倒是在戴维的国家，处处觉得像个外国人。”

“那你何必非要那个外国籍。”

“不不，你不懂，这不一样。”

“我懂，我怎么不懂。”

侍者不停地上色彩缤纷的鸡尾酒，我喝得有点多了。穿着像马戏演员的男歌手在倏忽变幻的灯光下做着各种亮相，声嘶力竭地唱。顾客都在乱哄哄地说话、鼓掌、高喊着点歌。我瞧着那个满脸堆笑、一个劲鞠躬致谢的歌手，觉得他挺可怜。

“那么，”我扭头问刘华玲，“你爸爸对你的态度是不是好了？我记得他过去曾经把你赶出来。”

“他现在仍不让我进门，把我送的电视从窗户扔出去。他认为我嫁给外国人是他的奇耻大辱。”

“有趣的老顽固。”

“我并不认为他这样就是立场坚定。”

“是啊，我们民族几千年来和亲和伤了心，总认为这么做是国力疲弱的一种屈辱表现。其实，外国人爱上我们的女孩子，是因为她们美丽，是我们的骄傲，只要那些外国人不是洋瘪三就行。”

“我不觉得你是在恭维。”

“那就换个说法，我们不是也娶过这些外国女人嘛，还把她们选进各个委员会。国际交流总是互通有无的。”

“你还是那么爱胡说八道，政府没再逮捕你吗？”

我笑了，她指的是一九七六年我卷入“天安门事件”，被关了三个月那件事。我们愉快地回忆起那个混乱、灾难深重的凶年。她还记得我站在批斗台上的那副恓惶相；那时晶晶才上小学。

“我没能挺住，一进去没打就全招了，也就没当成‘四五’英雄。我现在还存着平反时送回来的那些声泪俱下的交代书，看一回笑一回。”

“现在不当政治活动积极分子了？”

“不当了，退下来了。现在的领导人很成熟，国家料理得有条不紊，我也放心。”

我告诉我那个入了外国籍的女同学，从部队复员后的有段时间，我倒当真信过一阵基督教。那年我在泰山顶看了一本斯维特拉娜写的悲怆的书，引起宗教情绪，下山时我偷了岱庙里的善男信女贴在铜锣上的香火钱，泰山神未能降祸于我，使我对中国神大为失望。考虑到凡心未泯，既不愿剃秃子也不愿吃素，又把佛门摒除。最后觉得基督教挺文明，没什么义务也没什么苦行，全凭自觉，便欣然信了。那年圣诞节，唱诗班唱的多声部《弥赛亚》神曲，曾使我深受感动，差点受了洗。只因那天的牧师不许我领圣餐，使我觉得他很可恶。我一向厌恶豪奴，神仆我更不能宽恕，我抛弃了主。主一定在天上哭得很伤心，末日审判那天他不能给我走后门了。我妈妈倒破涕为笑，但最后她还是被我气死了。

“我是在极端苦闷中退的职。当时，我并不知道将来要干什么。现在我也不知道要干什么，但我始终觉得该干点什么。我要探索生活的意义，我很难受……”

我有点语无伦次了。

“你知道我小时候也想当过刘胡兰，被人塑成雕像。”她也喝多了，结结巴巴地说，“小时候我多为我们革命的成就自豪，为自己是中国人不是其他什么杂种骄傲。那时我真的相信世界要靠我们去解放，妈的人家根本不需要我们多管闲事，我倒成了资产阶级。”

“你不必过意不去。”

第二天酒醒后，我头疼欲裂，想起昨晚有点后悔，觉得说多了，为向一个女人倾诉苦衷羞惭。中午我们一起吃饭时，她也有点局促。难为情地跟我说：

“我现在不能喝酒，一喝就醉，就胡说八道。”

“我也是。”我说，“我都忘了昨晚说了些什么，喝多了酒是让人显得幼稚可笑，其实我现在过得还不错，我在谈恋爱。”

“是吗，那一定是个好姑娘，太让人羡慕了。我一向羡慕在谈恋爱的人，我没谈过，噢，那些都不算。”

“别说这些没劲的事了。”

“好，不说。”她笑，“其实一个女人也用不着要求太多，生活舒适就行，女人生下来就是为了享福的。”

饭后我们驱车去游乐场，在阳光灿烂的草地上兴致勃勃地骑马跑了几圈，又到射击场比枪法。为了有趣些，我们还打了赌，一顿晚饭。她打得很认真，成绩也不错。我打得更好，在部队我就是神枪手，而且这种轻便的小口径步枪比我们那种跳动很厉害的军用步枪更易于操纵。打完靶，我们都得了奖品。

在水上餐厅吃茶时，我碰到刚从上海休假回来的舞蹈家助手，她证实了我听到的消息，大局已定，我也不想勉为其难，这种事也是“自由恋爱”。谈毕公事，她问我，是不是晶晶到那个团后不太顺心？我说没有呀，她挺乐。她说她听回云南绕道上海玩的小杨说，晶晶给她打过一个电话，电话里都快哭了，说她一个人在团里很孤单，叫小杨去看看她。小杨临走事情多也没去成。舞蹈家助手走后，我屈指一算，晶晶给小杨打电话正是我走那天。

下午没事，我回饭店要了个北京长途到晶晶团里。晶晶午睡刚起床，还没去上排练课，可线路不好，听不到她的声音，由北京的话务员传话。我问她有什么事没有，要不要什么东西。话务员告诉我，没事，什么东西也不要。我想说我很想她，忽然又觉得很烦恼，那边晶晶的声音一点听不到，就像对着空房间自言自语。我没了兴致，挂了电话。

晚饭时，刘华玲见我闷闷不乐，问我怎么啦。我说给女朋友打电话没打通，我补了句："我很爱她。"

她笑，我告诉她："我不是开玩笑。"

她沉默了，不再笑。晚饭吃到一半，气氛实在沉闷，我们都很别扭，又快喝醉了，她终于忍不住，求我讲讲我的女朋友。我自己也很想讲，便把我和晶晶的关系始末细细讲了一遍。讲完后，她眼泪掉得抬不起头，我知道我勾起了她的伤心事。

"我也曾追求过真情，可总和肉体遭遇。"她说，"我很灰心。"

我告诉她我打算明天返京。她说她跟我一起走，一定要见见我那个可爱的小朋友。

第二天到了火车站，她又改了主意，说不想去了。她拿出两只玉色手镯表，要我送给晶晶：

"不要介意，这东西很便宜，并不贵重，是一点心意。"

我说知道，那些飞国际航班的空中小姐很爱戴这玩意儿。我说谢谢，晶晶一定喜欢。

"回北京，见到熟人说起我，你不会对我现在的生活有什么看法吧？”

“不会。”

真的，我从没鄙视过她，甚至认为她敢于支配自己命运是一种有勇气的表现。当然，我不是说所有和外国人的婚姻都没有感情色彩，但她，确实没有，用不着自欺欺人。

我在楼道穿行，认出一个正在像模像样炒菜的蓬头小伙子是位很受青年人欢迎的歌星。练功房内传出清脆的钢琴声和嘭嘭的手鼓声。正在打电话的那个男人肯定是男低音，巨大的共鸣音震得楼道嗡嗡作响。一个穿着运动衣的俊秀小伙子拦住我，打量着我问：

“你找谁？”

我告诉他我找谁。

“她住那个房间。”他有礼貌地让开，“她可能不在，洗澡去了。”

“已经回来了。”一个打扮得花枝招展的女演员从旁边匆匆走过，边走边说。

我敲敲那扇紧闭的门。

“进来。”

瘦得飞起的晶晶站在空荡荡的大房间里梳着长发，看到我进来，两手拢着头发怔住了。她刚洗过头，脸庞头发潮润润地闪着光泽，散发着发乳香脂的馥郁气味。我站在门口笑嘻嘻地看着她，她仍在发愣，接着，像片羽毛轻轻飘过来。

“怎么啦怎么啦？还哭鼻子哪。”

在街上走时，我们互相争着说话，晶晶为压住我拼命大声嚷嚷，说她的新朋友，她的新节目，在马路上肆无忌惮地走。当时正是下班高峰，一辆辆汽车开得老鹰一样又猛又快，好几次我不得不拉住她，才没被疾驶的车辆撞上。后来我也不看车了，光顾和她说话，就出了事。

出事时我最后和她说的话似乎是：“那么，你的英语怎么样了，一定学到第二册了。”

她好像那么说的：“我不学了，我正挨章学《家庭主妇日用大全》。”

接着我见她脸骤然变得恐怖，短促地叫了一声，我就飞到半空中。在空中我想：坏了！

下　篇

“一位擦地，一二三四，五六七八，二二三四……五位擦地，一二三四……一位蹲……”

我们手扶把杆站成一排，在钢琴单调、永远不变的那支曲子伴奏下，做着枯燥乏味、十数年如一日的基本训练，像一群虔诚的僧众，晨昏三叩首，早晚一炷香，痴心修行。

“腰组合……控制组合……”

这些动作我是那么烂熟，完全可以条件反射地随着节拍准确、有条不紊地做下去，脑子同时开着小差，胡思乱想，甚至万念俱寂，视一切于无睹。

“大踢腿……大跳组合。”

我轻飘飘地连续大跳，不为人察觉地偷着懒，再剧烈的活动我也不会出汗了。不知从什么时候起，练功对我就像一个官僚对待他的文件，无动于衷，转圜自如；失去了最初的激情和目的。

练完功，休息一会儿，准备上排练课；我懒懒地坐在地板上，尽管没卖力气也觉得疲乏无力。我们这个团的舞蹈多是异邦的民间舞，跟中国古典舞功两个“法”。不管你过去在省里如何受宠；在学院拿了多少五分，在这儿都得老老实实地跑龙套。老演员对我说：

“你们这拨来的可以了，一来就上节目。我们当年，换灯片，跟幕都是三组。”

领导说：“你们年轻轻的，先不要谈恋爱。”

我们私下说，不谈恋爱干什么？每天待在宿舍里光吃，吃肥了再吃“果导”泻下去？谈恋爱还能劳劳神，燃烧燃烧脂肪，就说我的那个家伙，虽然被撞了，还是那么带劲——

“想什么哪？”

“我在想，要是我处于蛮荒时期，当人不如不当人。”

“你想当什么？”

“一只大猛犸或者披毛犀什么的。”

“那无所谓。”

医院大楼一层，窗户对着花木扶疏庭园的一间病房里，我坐在因车祸受伤的石岜身旁。护士刚为他接过小便，他由于不得不当众小便而感到体面扫地，一脸懊丧。

“腿怎么样了？我看看。”

“别看。”他按住被角，“我不喜欢把有瑕疵的东西给人看。”

“看看。”

“如果你想了解长势如何，我可以告诉你，一点不喜人。医生说，残废是不可避免的。”

“那好哇，”我说，“你对社会危害可以少点了。”

“是值得庆幸。其实，”他恶毒地说，“那条腿已经不在这儿，切下去了。

我顿时失色，伸手隔着被子一摸，恼怒地板起脸：

“你太不地道了。我知道你转的什么坏心眼，你干吗总那么坏呢？”

“他们说，痛苦让别人分担一点，能轻些。”

我缄默了，抓起一把松子，用牙咬开坚壳，嗑出一捧果仁，递给石岜。瞅瞅他，伏在他枕边问：

“你是真痛苦了吗？”

“真的。”他在枕上偏过头来看我，“我不想连累你，我想高尚一点，我现在是个又穷又瘸的人。”

“别说蠢话了。”我说，“你就是真锯了那条腿，我也不在乎。”

“你要是沦落成我这样，我就在乎。”

“那可能，因为你总要情不自禁地表现一下卑劣。”

“不是，”他睥睨我一眼，“我不屑隐瞒我的观点，就是落到这步田地也不屑隐瞒，我不喜欢别人占我便宜，也决不占人家的便宜。”

“你认为金钱和外貌就那么重要？”

“是的，如果你破了相，一文不名，我就毫不犹豫地抛弃你，不管有多少道德先生站出来谴责。”

“我从来也没觉得你多漂亮多有钱，我见过比你棒的腿、比你趁的人多了。要是为了找个鼓钱包找条粗腿，我早去找别人了。”

“皮之不存，毛将焉附？”

“喝酒了？”

“嗯，团里招待一个非洲舞团，让我们作陪。”我在他床旁坐下，拿出个纸包，“我给你买了些无锡酱大排，人家说吃排骨有利于长骨头。”

“我也听说过吃什么长什么。”

“现在吃吗？”我把玫瑰色的排骨从纸包里拆出，问。

“要吃。”

石岜坐起来，接过排骨吧唧吧唧吃起来，咂着嘴，很香的样子。他跟我说医院虐待他，营养灶的厨子过去是养鸡场的饲养员。我给同病房的病人送去一些排骨，然后坐在他旁边看着他吃，听他抱怨。

吃够后，他张着两只油腻的手叫我把脸盆里的毛巾拿来。我走到脸盆前一看，哪里是什么毛巾，简直就是一块抹布。我拎到盥洗室洗干净，像对孩子似的使劲给他擦手擦嘴巴。

“我自己来。”

“你别动。”我把他脸上的肉渣一一擦去，“怎么吃了一脸？”

“哎晶晶。”我正在擦自己的手，他对我说，“你不用一天到晚在这儿陪绑。”

“……”

“老待在病房会传染上病人的有害情绪。你瞧你的脸，都快跟泌尿科护士一样——铁青。”

“我以为你愿意我来。”

“我是愿意你来，一天来看我一眼，尽尽朋友义务就行了。多找那些健康的朋友玩玩。”

“和你交朋友后，我就没别的朋友了。”我说。

“这可不好，我可没叫你不理人家。恰恰相反，”他喋喋不休地说，“如果你有几个正派、有学问的男朋友，我还很赞赏。”

“你是不是，又有了什么新欢，想趁机把我甩了，还落个高尚。”

“不不，你别误会。”他脸红了。过了会儿，他握住我的手，我挣了挣，没挣脱，就任他握。

“咱们不是说好了吗，”他轻声说，“不陷进愚蠢的爱情中去。”

“……是说好了。”

我低着头，慢慢抽回自己的手，走了。

我有几天没去医院看石岂。每天排练完，就自己上街逛，自由自在地挨个店吃心爱的冰激凌和酸奶，挨家影院看新上映的片子。我们的喜剧还是不行，无休止地卖弄噱头，尽管我也跟着笑，可每回笑完都有被人笑了一场的感觉。悲剧依然是湿淋淋的，那些成年人号啕大哭的嘴脸，使人又厌恶又蔑视，我宁肯闭着眼睛听台词，我喜欢上海的配音演员。有时我买上一包烟，坐在街头长凳上的老爷爷老奶奶旁边悠闲地吸。常有小伙子过来和我搭讪，我跟他们搭讪几句，要带我走，我就不理他们了。一天我碰上一个在石岂家见过、可叫不上名的小伙子。他见我坐在马路边，凑过来和我说话，他自称是某大学的学生，请我去吃晚饭，说饭后还有场音乐会，我跟他去了。吃饭时他说石岂很多坏话，说他如何道德败坏，见钱眼开，我光笑不置可否。等到在剧场坐下听音乐会，他讲起贝多芬，我受不了啦，找茬溜掉。

回到团里，同宿舍的小青姐说刚才有人给我打电话。我问是谁，小青姐说她也不知道，那个人说一会儿还打来。九点多钟，电话打来了，我跑去接，是石岂。

“你怎么不来看我了？”

“不爱看你。”我气哼哼地说，“找别人玩去了。”

他笑了，说明天来吧。他挺想我，还有话跟我说。

“好吧。”我说。挂了电话，连蹦带跳地跑回宿舍。

小青姐今天过生日，买了酒，跟她男朋友边聊边喝。我也坐过去蹭酒喝，傻乎乎地听他们说笑话。小青姐说我：

“你老笑什么，傻不傻？”

我还是穷笑，喝了酒越发笑个不停。

第二天下午我来到医院，石岜正在和一个神经质的中年男人说话。我不想打扰他们，就在一旁坐下。开始我没注意他们在说什么，过了会儿，只言片语传进我耳朵里：“我已经老太太吃柿子——嘬瘪子了，两个月都是靠借支开的工资。”“千钧之弩，不为鼷鼠发机——我懂。”我倾耳听起来。这个男人是石岜的朋友，他曾为什么事雇佣了石岜，现在他想解雇石岜。他的公司很不景气，营业额日趋萎缩，如果固定资产和流动资金两项不能达到二十万元水平，今年年底就要被政府勒令解散。他只得裁员，可是他心里很过意不去。倒是石岜开释了他半天：“我要是你也得这样做。”“事关重大，私情公谊应当截然分开。”中年男人走了，石岜笑着转向我：

“你也支着耳朵听哪。瞧，众叛亲离了。”

他摸我的脸，我咬他的手，他把手躲开。

“你交的朋友，真够呛。”我说。

“不怪他。”他说，“本来朋友就是为了锦上添花，互相坠算怎么回事。”

“有难同当，有福同享。”我坚持说。

他一笑，滑进被里躺下，仰面看着天花板出起神。宽大的枕头衬得他的脸颊那么瘦削、孱弱。

庭园中阳光明媚，亭亭玉立的五角枫树冠已是金黄掺杂着绛红，威严的雪松凝成深深的墨绿。穿着白衣的病人三三两两在廊道阳台闲坐，病房里只有我们两个人。

“你看，我们没有强努下去的必要了吧。”他忽然笑。

“什么？”

“试不下去了，算了，各投生路吧。”

“你今天叫我来，”我竭力克制自己，还是脱口而出，“就他妈为了跟我说这话。”

“别傻了。”

妈的！我正要发作，外面聚成一堆听录音机的病人那里传来一个低沉柔和的女中音：“尽管我和你在一起要不幸，分手会痛苦，我都不在乎……”那歌反复地唱，熄灭了我的火气，涌上满腹凄凉。要不是他无能为力地躺在这儿，我真要以为他从头到尾跟我开了个大玩笑，耍了我一场。我忍住泪对她说：

“这事没那么简单，又不是你一个人的事，还得我同意才行，我不能让你招之即来，挥之即去。”

“啊——咦——！”我躺在被窝里大叫，小青姐她们坐在一边嘿嘿笑。最近老停电，一停电我就趁机歇斯底里嗷嗷怪叫。电来了，屋里亮了，小青姐过来扳我身子，我还是一副龇牙咧嘴的样子。

“你干吗呀，起什么哄？”她笑着说，“我汗毛都倒竖了。”

我笑着推开她手，翻身闭眼睡觉。

连着排练了一段时间后，团里放了两天假，小青姐她们搞了辆车，去郊外野游。问我去不去，人多热闹。我想了想，说去，去高兴高兴。

秋初的山里，丰饶富足，多彩多姿。酸枣棵子丛丛密密，荆条上果实累累；漫山遍野的“山里红”斑斑点点，沉甸甸地结满枝头；山道旁柿子树上悬挂着一个个小灯笼似的肥柿，摇摇欲坠；深山里，溪流边，不知名的野花仍在成片盛开；疏落有致的簇簇树林已在郁郁葱葱中透出那么点杏黄和嫣红。

我们把车停在山脚下一个狗声吠吠的庄户院里。沿着崎岖的山路，穿过一片片干柴林子，气喘吁吁，兴高采烈地爬上山顶。毫无顾忌地任山风吹透自己的衣衫。当时正是下午，天空湛蓝，浮雕般的白云凝固在黛色的山头。远处平原、河流蜿蜒东去，在阳光下闪闪发亮。精耕细作的农田如同一幅由黄绿不一的颜色拼接得整整齐齐的巨大地毯。

在群山间一座空旷无人、碧波粼粼的水库旁，我们简单吃了点东西。男孩们咋咋呼呼下了水，一边哗啦啦游着水，一边大叫痛快，叫我也下去。我穿着练功衣下了水，水库是高峡出平湖，水很深，水凉彻骨，鱼也很多，不时滑溜溜地从大腿旁擦过，水面辽阔平静，游起来很舒适惬意。游着游着，我想起了夏天在市内那个湖里游泳的情景，上岸后，我就哭了。

我哭得很伤心，很委屈，还冷。抱着双臂蜷在那儿，瑟瑟发抖地望着远处的山水哭泣，哽咽一声便掉下一串泪珠，山水都模糊了。小青姐她们躺成一排晒太阳，见我哭，也不知是怎么回事。给我披了件衣服，便躺在一旁看我，也不劝。

我哭够了，小青姐问我：

“怎么啦？”

“没怎么。”我擦干泪说。

我们走在绵亘的山脊上，强烈的夕阳将山岭分成壮丽的明暗两个世界。一面是灿烂夺目的山坡，草木花叶轮廓纹路清晰，栩栩灵活。一面是幽深昏暗的谷壑，水声潺潺，潮气升腾。山的皱襞阴沉了，山势也显得凶险，远远地，长城起伏，逶迤在崇山峻岭的茫茫暮色中。

国庆节将要到了，电台电视台报纸每天都报道刊登大量标志建国以来国民经济成就的令人鼓舞的数字和比率。今年是大庆之年，节前就开始人心浮动，街上挤满购物的人群。富裕起来的农民进城将彩色电视机和电冰箱一购而空。工人们粉刷油漆了天安门和各主要大街的建筑物，在天安门广场安装了大型霓虹灯和激光照射装置。民警们也动员起来，加强治安保卫，清理居民户口。军队则忙于操练，国庆那天，他们要向全世界展示新式武器和新式军装。

三十日下午，日本青年代表团中某“座”的几位女演员到我们团来联欢。笑眯眯地左鞠躬，右鞠躬，大吃一顿，送了几把日本纸扇，一人抱着一架精美的贝雕笑着走了。我们一边挥手欢送，一边小声嘀咕：“小日本真抠门。”

送走她们，我来不及洗澡，用纸擦了脸上的妆，就匆匆乘公共汽车往医院跑，紧赶慢赶还是在天安门被堵住了。天安门广场华灯齐放，人头攒涌，照相机的镁光灯闪成一片，到处是穿着节日盛装、合家留影的人们。公共汽车连成长龙，在人堆中缓慢地行驶。

我赶到医院，天已经相当黑了。病房大楼空荡荡的，能行动的病人都提前出院回家了。急诊室灯火通明，人来人往，医生护士团团转地急救着大批因激动而脑溢血、心肌梗塞的胖老头。这些一点不节制的老家伙，每回女排一比赛或过节都要兴奋得晕过去，让人又可气又好笑。

我推开病房门，石岂正在和开摩托撞他的那个小伙子聊天。最近，这个小伙子常带女朋友来看他。他们混得挺熟，已经成了朋友。他的女朋友，一个妩媚的糖果店售货员见我来了，就说：

“哟，你可来了，我们正说你呢，外面车不好坐吧？”

"嗯，在天安门堵了一小时。"

"快来吃香蕉，我们刚买的，特别好。"

"现在不想吃，先放那儿吧。"

我和她坐下说话，石岜老看我，我冲他笑笑，继续和那个女孩子聊天。她正在学交际舞，兴趣很高，跟我说了半天，又叫我给她跳一段。我说我也没跳过交际舞。

"迪斯科，迪斯科你总会吧？"

"迪斯科我也跳得不好。"

"跳跳嘛，别谦虚。"

她一定要我跳，我说这是在医院，她说没事，去把门关上，又来拉我。我没办法，只好随便扭几下，那个女孩笑嘻嘻地和我对扭。一个护士探头进来，我跳着跟她笑笑，她也笑笑走了。我停下来，看着那个女孩扭，说："你比我跳得好。"

"再扭再扭。"石岜和那个男孩一齐对我说。

我摆摆手坐下。

"有什么关系，今天过节。"妩媚的小姑娘央求我。

我把她搂坐下："我累了，已经跳了一下午。"

我喜欢这个女孩，亲亲热热搂着她热汗淋淋的身子。她朋友给我一支香烟，我抽了两口，小姑娘也要抽。我给她吸了一口，呛得直咳嗽，我教她怎么抽，又回头问石岜：

"你抽吗？"

他点点头。我把手里这支给他，又点上一支，全神贯注地吐烟圈。

"晶晶。"

"嗯？"

我把脸前的烟赶散开，掉脸看石岜，他又不说话了，我移过身俯下问他："什么事？"

"我想回家了。"他说。

"还没全好，怎么能回家？"我说。

"差不多了，在家养也是一样。"。

"家里没人，谁照顾你？还是全好了再出院吧。"

"我们，"那一对说，"回去了。"

"他想出院。"我跟他们说。

"着什么急？"小伙子说，"不全好不能出院，你还怕我付不起医药费？"

"不是。"

"安心住着吧，明天我们再来看你。"

"明天全城戒严。"

"我们穿胡同。"

"算了，明天你们别来了。"我说，"好好玩去吧，这些天也没开过心。"

我从医院出来，已经很晚了，我没回团，去石岜家过夜。我开了门锁，在偌大的、空荡荡的公寓中走来走去。我害怕，把所有房间灯都打开了。公寓内还是石岜住院前那种东西乱丢一气的凌乱样，家具什物已蒙上薄薄一层灰尘。我坐了会儿，动手打扫起房子。擦地擦玻璃，倒烟蒂，归置书报，一直干到拂晓，才倒在沙发上打了个盹。天亮后，我又上街买菜。节日交通都临时断绝了，我只得在附近小店买些食物。好在是过节，小店货物也很齐全。我回到家，庆典已经开始，打开电视，观看威武的阅兵仪式和花团锦簇的群众游行场面。

晚上，大部分街道交通恢复后，我去了医院。石岜也坐在医护人员中看了一天电视。我进去找他时，电视还在播放焰火晚会的实况。我让他再看会儿电视，自己去找值班大夫办出院手续。办好手续我帮石岜收拾了简单的东西，换了衣服，走出医院。

街上到处是出来看焰火的人群，我们在人群中推推搡搡地走着。路过一座新落成的巨大华丽的灯光音控喷水廊时，上百条和着音乐奔涌跳跃的水柱将清凉的水花细雨般地洒在我们头上，我挽着石岜，不由自主地咧开嘴和其他人们一起欢笑，他也在笑。

家里收拾得整洁异常，窗台上的花盆，果盘里的苹果散发出幽幽芳香。酒柜上玻璃鱼缸里，金鱼在无声无息地游动。卧室也重新布置了，凉席、草垫都撤去，换上干净松软的被褥和绣花椅垫。书籍整整齐齐、分门别类地插在书架上。

“是你收拾的？”

我看出他有点感动，没说话，径自走上阳台。夜空中仍不时有礼花从三个方向升起，无声地闪耀成绚丽的一片，旋即又一切黯淡下来。他也走进阳台，我回屋给他搬了张藤椅，又倚在栏杆边，托腮望着夜空出神。那夜景时而辉煌，时而混沌，辉煌时烂漫夺目，混沌时一切皆空，幻显无穷，盛时即衰。

“今夜是最后一夜吗？”我小声问。

又是成百个红亮的礼花笔直地递次升起，壮丽地怒放在整个天穹，熄灭，陨落下去。

我等了良久，不见礼花再次升起。天空的晕红慢慢消退，醇蓝的夜色迅速在空中横行扩散，覆盖统一了城市景物的调子，阳台、我们也被黑暗吞没了。

“我有什么过错吗？”我在黑暗中问。

“没有……”

“你觉得我离开，对你更好点？”

“嗯。”

“你考虑过我有什么想法吗？”

“没有。”

“一点没考虑？”

“一点没考虑，我只考虑我自己。”

“好吧，就这样，我说过，你要对我说‘拜拜’，我就对你说OK。”

“你，挺恨我吧？”

“别说这种无聊话，不会的。咱们是好说好散——原来也只说的是试试。”

“我倒希望你恨我。”

“进去吧……我冷了。”

石岜一瘸一拐进屋，我拖着藤椅跟在后面，屋里的灯亮了，我们暴露在光明中。他的脸很激动，相形之下，我倒显得过分平静了。

“我问你一件事。”我垂下眼皮，随即扬起脸凝视着他问，“你爱过我吗？”

“爱过——”他身子往前一冲，一刹那，几乎站立不住，“——爱过！”他站稳后说，“这是不容置疑的。”

“你不是捉弄我，我很高兴，真的，很高兴。”

我粲然露齿而笑。

夜深了，我们仍在开怀畅饮甜葡萄酒，彼此都有些醉意朦胧，快活地笑个不停，说个不停。

“你，你给我的印象不错。我呢，给你印象好吗？”他问。

“还可以还可以，”我说，“足够记几年的。”

“我们不会互相诽谤，互相鄙薄吧？”

“我不会，”我停了一下说，“也许你倒要说是我不配你。”

“不配一个瘸子？”

“哦，你尽管瘸，还是瘸得挺有风度的。对了，”我说，“你的照片我不想还了。”

“好吧，”他说，“你的照片我也就不还了。”

“如果你打算悄悄销毁，还是还给我。”

“我倒担心你将来的丈夫要吃醋。”

“丈夫？”我木然冲他一笑，“我发觉一句都提不起来。”

“什么？”

“过去说过的话呀，那些海誓山盟真没用。”

“……过去我们起过誓吗？”他怯生生地问。

我眼里闪出泪花，把杯子一蹾，心平气和地问：“这个你也想否认？”

他不吭声了，我久久盯了他半天，又端起酒杯，把嘴伸进琥珀色的液体中啜饮。

“你说，”我喝了一阵酒，喘口气问，“会很快过去吗？”

“什么都会很快过去的。”他说，“玄都观里桃千树，尽是刘郎去后栽。”

“少跟我转词。”

“我希望我们还是朋友。”他看看我说，“像过去一样，你常来找我玩。”

“真的希望我常来？”

“真的。”

“那我就常来。”我注视了他一会儿，咬着嘴唇笑了，“我常来。”

我低下头，飞快抹去下巴上的泪珠，问他，“我的演出你还看吗？”

“看。”他也笑。

上床睡觉时，我翻来覆去地想，我们过去说过什么山盟海誓的话？大概真没说过，可那，还用说吗？

秋天一个个晴朗无尘、阳光充沛的日子倏忽而过。不堪酷暑又畏惧严寒的人尽可能多地利用这一年中最后的好时光户外活动。今年街上流行鲜丽的羽绒马甲和斑斓的粗线毛衣。有的国家领导人带头在电视里穿西服会见外宾，出席国宴，为全国作表率。西服立刻畅销，街上到处是穿着合身与不合身西服行走的男女。

秋天是我们团的演出旺季，前去观看者趋之若鹜，票子一售而光。可首场过后，黑市价跌得很惨，每天都可以看到一些票子砸在手里的“倒爷”焦急地在剧场前徘徊。因奥运会胜利和国庆阅兵大大高涨的爱国热忱没能在歌舞上移情。那些六十年代以后出生的年轻人对高亢清越的汉曲宋词、讲究意境的古典舞蹈依然隔膜，掌声寥寥。演了几场后，团里只得把上半场的民族舞大部拿掉，换上疯狂喧闹的《布莱伏》舞和踢踏舞。团里对这些老掉牙的节目的依赖程度是令人悲哀的。

石岜仍在家静养，由于长好的骨盆有些倾斜，走起路来，十分明显地跛脚。他在青岛的姐姐请了假来照顾他的起居。我也时常去看他，他给姐姐介绍我说：

“晶晶，我妹妹。”

姐姐看了我半天，然后就和我有说有笑地聊起来，一起在厨房做饭。

我听到她对石岜说：“喂，我挺喜欢你‘妹妹’。”我就红了脸瞅石岜。他笑笑，装作若无其事。我垂了会儿头，又开始说笑忙活。

姐姐是个一丝不苟、爱管别人闲事的女人，常以挑剔的眼光打量我和石岜的穿着。她特别瞧不惯我随随便便的打扮，但她不跟我说，却去训石岜。

“你也不给晶晶买几件衣服，瞧你们两个，穿得像一对叫花子。”

“我们没钱。”石岜说，“再说我们也不出门。”

“你不出门，晶晶总要出门，总要打扮得漂亮点，这会儿不穿什么时候穿？”

“我们赶不起时髦。”我也这么说，“夏天还可以凑合赶赶，秋冬季的羽绒皮货太昂贵了。我是低工资。”

“其实，心灵美也就行了。”石岜说。我闻声瞅他，他忙对我说，“姐姐的意思是要给我们买几件——你没听出来？”

“你我不管，晶晶我要管。”姐姐说。

“我什么也不要，真的，姐姐你什么也别买。”我说。

姐姐是个党员，说到做到，给我买了件暗红色的羽绒马甲和一条坚固呢牛仔裤以及一瓶“增白露”。她问我，夏天是不是爱游泳？我说是。她说游泳可以，别顶着日头去游。我嘴里嗯嗯答应，说明年夏天注意，转身就把她给我的衣物撂到一旁。又怕她不高兴，穿上我自己的一件稍嫌老式的开身毛线外套。我觉得“还过得去”，石岜却乜着眼说：

“真难看，像小县城的。”

“管着吗，”我说，“又不是给你看的。”

“你头上扎了根什么玩意？鞋带！”他伸手扯我，“不成体统。”

“你别扯我头发。”我护住头发说，“发绳老丢，我们团很多人都用鞋带。这样省事，又看不出。”

“没个看不出的。”他说，“我不许你这样，费好大劲，才把市容整治得像个样。”

“我乐意怎样就怎样。”我说，“你现在管我也没必要哇。”

他一下没词了，讪讪把手缩回去。有时我们俩之间常出现这种冷场。

“都是你。”我含泪说，“干吗招我，我本来也想不起说这种话。”

过后，我仍换下他认为不好看的衣服，重新认真把头梳得水滑整齐，苍蝇拄着拐棍也站不稳。甚至还在脸上搽点“增白露”，哼着“西施兰欲盖弥彰，增白露瞒天过海”，把我发的两套运动衣给他拿去。

“咱们怎么那么傻呀。”我笑着跟他说，“穿运动衣多好，又时髦又不用花钱。”

他穿上运动衣照镜子，问我：“瘸子穿运动衣是不是有点装腔作势？”

“没关系，”我站远端详，“挺好，现在伤残人不也有个奥运会嘛。”

“晶晶，慌慌张张往哪儿跑？”

晚上我们在人民大会堂给一个来访的外国总统演出。总统先生有膀胱刺激症，节目限制在可以忍受的一小时内。晚会散得早，我出来跑得也快，小青姐她们就拉住我跟我捣乱。

“上哪儿去呀？这么急。”

“还能上哪儿？我朋友那儿呗。”

“啧啧，现在小姑娘真大方。”几个老演员议论着，笑着从我身旁走过。

“你不是老去吗？今天就别了，咱们回宿舍玩去。”小青姐成心让我着急。

“谁老去了？”我又急又没办法，“好几天没去了。你放开我吧，人家要赶不上车了。”

“哟，晶晶什么时候学会的这么温柔可人。”小青姐打趣我。

“一直就会的，”我掰开她的手，“看跟谁了。”

在大家的笑声中，我蓁蓁跑掉。

“那些变戏法的真骗人，今天我在后台全把他们看破了。”

我和石岜在包饺子，我给他讲今天的趣闻：“他那些道具都藏在身上。我端个小板凳坐在条幕旁眼睁睁看着他一件件换出来，假装从空气中抓出的，骗台下的人。那些人还傻乎乎地鼓掌呢。老师说我，你干脆坐到台上去看吧，你也快成分散观众注意力的道具了。”

“你干吗呀？”

“没事，台下其实看不到我。”

“我是说你干吗和你们团的人那么说呀？”

“我说什么啦？”

“说我是你朋友。”

我立刻不响了，把脸扭向一旁。

“你还跟她们说什么了？”

“嗯，”我没情没绪地捏饺子，“说你爱写作，又聪明又有前途，还有我快饿死了。”

石岜的脸拉得像张驴脸。我难为情地说：“我并没真说你很有前途，我只是说你这人挺乐观。”

“我没生气。她们听了怎么说？”

“她们觉得挺带劲。”

“我说晶晶，别再这么无中生有地乱编了吧，这不是毁人吗。”

我低着头，可仍觉得脸慢慢红了，连脖子都涨红了。

“水开了。”姐姐从厨房出来，问我们饺子包好没有。

姐姐假满回去了，石岜的腿也基本痊愈了，在家里憋得很烦。假日，我陪他去天津玩。在天津东站下车后，我们徒步穿过海河上宏伟的“解放桥”去“劝业场”对面那家闻名遐迩的咖啡厅吃了水果馅元宵和鸡蛋三明治，又排队买了著名的“十八街”麻花和“耳朵眼”炸糕，搭傍晚的一趟火车回北京。

暮色苍茫的原野一片片向后退去，城市、村落的灯光星星点点，油田喷出的天然气在夜空中熊熊燃烧。

车厢里灯光昏暗，人头攒动，过道卧满做小买卖的农民，龇着黄板牙大声说笑，放肆地抽着呛人的烟卷。我站在车门旁，仍被烟熏得连连咳嗽。石岜百无聊赖地倚着车门。

“我不是成心惹你心烦的。”

“别说这个了，”他看我一眼，“我没烦。”

“我回去就说我们吹了。”

列车通过一个明亮的小站，北京市区的万家灯火遥遥在望。又疾驶了一会儿，我们已身处这个庞大星空般的城市，列车在变轨，车厢剧烈震动，我的身体也随着震动颤抖起来。

“你别老那么自作多情，以为我对你多恋恋不舍似的。”我突然感到一阵绝望和愤慨，粗鲁地骂起来，“我根本没拿你当回事。瞧你那副德行，真叫人讨厌。什么东西。混蛋一个！”

石岜看我，我挑衅地仰起下颏。他不理我了，专注地看窗外缓缓闪过的街景：透明的幢幢大厦，笼罩着高压钠灯橘红色光雾的马路上驰行的轿车，走动的人群。

列车在雪亮的月台停稳，我跳下车，石岂也跟着跳下来，紧跑几步，追上我并排走。我急急地走，他也大步迈——跛得更明显了。身后是潮水般的旅客。

来到车站广场，我站住，面向他。他身后的是辉煌的候车玻璃大厅，枝形水晶吊灯光华四射，双道自动电梯向楼上缓缓运行，人们川流不息。

“我不要你送我。”我压低声音说，“你走！”

“我送你到电车站。”

“不要。”

我尖叫，四周行人纷纷驻脚，值勤的警察也回过头来，他忍气吞声走开。

立冬后，下了几场阴绵的细雨，天气又冷又潮，人在没有供暖的房间里都要披件厚衣服。这期间，英·甘地被她的卫兵枪杀了。中曾根和里根分别如愿以偿连任了日本首相和美国总统。十四个沿海城市在香港同外商签了数十亿美元的投资合同和意向书。中国女排彻底击溃了劲敌美国队和日本队。大白菜上市，又下市了。

我们团第一轮演出已告结束，团领导连日开会，研究新房舍的分配和小队承包事宜，团里放了羊。乐队的人通宵达旦地学习流行唱法，他们都有很好的音准，几个改弦更张的二胡演奏员大红大紫后，都豁然开朗了。我们舞队练完功就大学交际舞。几个老演员办了个交际舞辅导站，钱赚得“毋佬佬”。我懒得学舞，没事就披着大衣在楼里瞎转，要不就无聊地站在一旁看她们翩翩起跳。饿了就到附近一个商亭喝酸奶，喝饱了回宿舍闷头大睡，什么也不愿去想。

经过激烈的争论、哭泣、恳求、权衡盘算，各演出队的人员和分成比例终于确定下来。很多城市的邀请也纷至沓来。我们团倾巢出动，开始了全国范围的巡回演出。

在上海霓虹灯林立的繁华商业街南京路，我碰到出海回来、上岸寻欢作乐的老纪他们。他们请我吃炸子鸡和掼奶油。说到石岜，大家不以为然。老纪说："再耿耿于怀就没劲了。算了。"他劝我，"在有钱人里找个心眼好的完了。"

在昆明碧水青峰的滇池边，小杨也对我说，连老一辈无产阶级革命家的突然去世都没能使生活停顿，更别说一个石岜。听说他正在边境一带走私毒品。公安厅正在通缉一个北方口音的瘸子。不定哪一天，他得死于火并或追捕中的枪战。

在重庆拥挤不堪的朝天门码头，我在石岜家见过的那个四川经理却说石岜正在深圳经营一个生意兴隆的饺子馆。有人看见他脑满肠肥地坐在店里喝茶，学了一口广东话。"长得可是一模一样。"

后来，演出队到了河南山东，就听不到有谁认识石岜并提起他。我们演出演糊涂了。一天两场甚至三场。一口气演了近百场。整天不能卸妆，皮肤都过了敏。晚上做梦也在跳，为误场着急，早晨醒来累得又立即睡了过去。候场时，整整齐齐排着队耷拉着眼皮假寐，灯一亮，个个堆出假笑昂着头上台，恍恍惚惚手舞足蹈一番，一转身，又立刻合上眼梦游。歌星的嗓子也唱"放炮"了，只得放录音带，人站在不接线的麦克风前做假动作或者干脆和我们伴舞的演员开玩笑，把《草帽歌》唱成"妈妈，百货大楼有开司米"。

最后几场，人都木了，事故频频。跳《夕颜》时，我光着脚丫上了场。人家都是雪白的袜子，我黄黄的一个，村气射人。老师站在幕条旁都快气死了。下场时一哄而下，再亮灯时，不知谁的扇子醒目地丢在台中央，惹得观众黑压压站起一片，嗡嗡议论，大感兴趣地琢磨这个“机关”。

经过筋疲力尽的巡回演出，元旦前夕，我们青面獠牙地回到北京。我们在外地时，北京下了几场雪，至今路边墙角仍有残痕。树木大都叶子脱尽，光秃秃的。阳光很和煦，裹着鸭绒衣在街上行走的小伙子和姑娘，脸上都红扑扑的。市内公园的水面和湖泊都结了冰，可以看到戴着五颜六色毛线帽的年轻人在封冻的湖面上自由自在地滑冰，冰刀溅起的冰沫在阳光下点点闪烁。

我走在街上，有时会停下来，看看街角贴的“刘云峰”署名的布告。我在一家百货公司买了双高筒靴子，给了十张奖券。摇奖时中了头彩，一台双开门电冰箱。我一个人生活也用不着，转手卖给了别人。手里有了一些钱。小青姐劝我买些金银首饰保值。我喜欢珍珠，就买了串九折的珍珠项链。她们说我买亏了，市面上的珍珠都是养珠，我很懊恼。

元旦到了，文化部在一家大饭店招待在历年全国和世界性比赛中获奖的艺术界演员。我接到请柬，想起当年获奖时少年得志的情景，恍若隔世。其实并无龙门，人只不过给自己制造幻境，一时一地称雄，自以为与众不同。我到饭店很早，招待会还没开始，便在底层售品部逛。看到一件漂亮的男皮大衣，不忍离去。问售货员，价钱也公道，掏钱时才想起买来无人可送，怏怏走开。在咖啡座喝茶时，遇到当年舞伴。他正和他们团的几个人在一起，看见我大喊着我的名字跑过来，咖啡座里的外国人纷纷看我们。我们握了手，互道阔别后的情况。他刚从南方回来。人家请他去搞舞蹈，他满怀雄心去了，根本不是搞艺术。第一期合同一满，他就跑回来了。我们的几个同学，甚至几个老师还在那里。他们铁了心，什么艺术不艺术，“大团结”第一。最高级的是在大酒店里给歌星伴舞，收入倒是十分可观。他跟我唾沫星子四溅地说了一通。他们团的人叫他，说招待会开始了。“有空再聊。”他连蹿带蹦地跑了。我也结了账要走，旁边座上一个浓妆艳抹的女人问我：

“你叫于晶？”

“嗯。”

我看看这个人，不认识也没见过。虽然她一口京腔，可看服饰发型和气质又不像在国内生活的人。也不知她怎么知道我的名字。

“如果没错的话，”那女人笑着说，“你是石岜的女朋友。”

我心猛一动，这是怎么回事？

“石岜现在好吗？噢，我跟他是朋友。我听他谈到过你，印象很深。他没跟你说起过我吗？我叫……”

她说了自己的名字，我从没听说过，石岜什么也没跟我说过。

“他没跟你说过我吗？”那女人又问，“我们在南方见面时，他可净说你，依恋之情溢于言表，嘻嘻。我本来还说跟他一起来看看你。”

“没有，他什么也没跟我说过。而且，我跟他也没什么关系。”

“等等，”那个女人叫住我，“这是怎么回事？当时他跟我说的时候可不是这种口气，我还以为你们就要结婚了。再坐会儿好吗？”她说，“石岜现在干什么呢？”

“我也不知道，我好久没见过他了……”我不能再说了，再说眼泪就要出来了。

那女人看了我半天，说：“懂了。对不起小姐，这是个误会，石岜和我开了个玩笑，骗了我一顿，我当了真。”

“他和您说了些什么？”我问她。

“他，”那女人喝了口咖啡，把脸沉下来，“他说，他很爱你，爱得不得了。”她哧哧笑起来，“如何如何纯真的一片爱心。他装得可真他妈的匀，都可以当演员了。”那女人气得浑身抖起来，哆哆嗦嗦从包里摸出盒烟抽出一支叼上：“你抽吗？”

我摇摇头。

那女人自己喀嚓用打火机点着烟，堆起笑容对我说：“好啦，我不耽误您的时间了。”

“你过节到哪儿去？”小青姐问我。

“我姨妈家。”

“你要没地方去，”小青姐说，“咱们一起去我朋友家吧。”

“不不，我到我姨妈家去。”我说。

除夕之夜，城里响起送旧迎新的鞭炮声。同宿舍的人都回家过节了，整层楼也没几个人。楼下的解放军正在会餐，闹哄哄地敬酒。我到电视房打开电视看了会儿元旦晚会的相声，笑了笑，回房睡觉。刚上床，楼道里的电话就响了。我跑去接，是姨妈打来的，问我怎么没去她家。我说元旦团里还有活动，等放了假再去。同一座楼的解放军会完餐，又开晚会做游戏。咚咚敲着鼓“击鼓传花”，放开喉咙齐唱：“在那桃花盛开的地方，有我可爱的姑娘。”“妈妈，妈妈，看看我吧，亲爱的妈妈。”我用棉花堵住耳朵，吃了两片安眠药，才勉强睡着。

元旦清晨，我乘头班车进城。街上行人寥寥，遍地昨夜遗留下的鞭炮纸屑，清洁工戴着口罩在清扫。偶尔，新年寒冷的空气中还传来几声零落的鞭炮声。

我走进那幢熟悉的公寓大楼。电梯还没开，我顺着楼梯爬上去，喘吁吁地敲门。敲了好一会儿，里面才响起踢踢踏踏的脚步声。门开了，我怔住了，是个陌生姑娘，睡眼惺忪。

“你找谁？”

我推开姑娘往里闯。姑娘拦我：“哎哎，你干吗呀？”

“我找石岜。”

“谁？”

“石岜！”

“你找错门了，我们家姓李。”

我停住脚，瞅着姑娘愣了。

“你找错门了。我们不姓石，姓李。”

我退到门外，抬头看看门牌，又看看莫名其妙站在那儿、有点生气的姑娘，完全不知所措了。

“你是不是找原来住这儿的那家人？”一个穿毛衣的小伙子出现在姑娘身后，“你进来吧。”他对姑娘说，“妹，你让她进来吧。”

我机械地走进公寓，环顾四周。室内的家具全换了，陈设也全然是另一种情调。

“妈，你知道原来住这儿的那家姓什么？”小伙子问一个从里面走出来的老太太，“是姓石吗？”

“好像是，是姓石。”老太太说。

“您知道他们搬哪儿去了？有人找。”

老太太看看我：“这个我也不知道。他家老头死了很多年，部里一直要收回这套房子，他家孩子就是不搬。后来不知怎么，大概那些孩子都不在北京了，这套房子就交了。”

“谢谢您了。”我低头转身出去，“我走了。”

“你可以等节后上班到部里办公室打听一下。”那个小伙子好心地对我说，“也许给他们另调了房子，办公室的人知道。”

“谢谢。”

我根本就没听清小伙子跟我说了些什么，下楼时，只觉得做了场可怕的噩梦。

灰霾的天空纷纷扬扬飘起雪花，落到地上薄薄一层。无轨电车缓慢地行驶，车窗结了白蒙蒙的水雾。沿街小饭馆热气腾腾的屋内，羊肉片在滚着开水的铜火锅里变色，围着桌子的人们吃得满头大汗。喝了白酒的男人脸红得像猪肝，醉醺醺地互相搀扶着从我身旁沉默地走过。

“我这份伤心的……”两个戴眼镜的姑娘从身旁走过。

“爸爸给你拿着糖葫芦，待会儿再吃……”一个男人牵着个攥着满手吃食，穿得像头小熊的小男孩。

夜深了，我还在街上踽踽独行。铺满雪的街道树木在月光下凝成静止的银白色，商店楼房都紧闭门窗黑漆漆的一点声响全无，盘结交错的电车线挂满雪，僵直、网一样地罩在半空中，公园逶迤的墙下空荡荡的，我的影子在便道上拖得很长。暗处灌木丛上的雪坍落，发出轻轻的扑扑声。

节后，我休探亲假回南方了。

我在家里续了假，春节后，才回到北京。团里又开始演出。我每天上午排练，学些新舞，下午就在宿舍看看书，和小青姐她们聊聊天，晚上去剧场。

今年冬天，北京雪水勤，雪后初霁，太阳出来，路边积雪融化，街道树木潮乎乎的。公园朱红宫墙的绿琉璃瓦檐上白雪点点，在阳光下晶莹闪烁地滴垂着长长一排水珠。

春天来了，冰消雪解。草地绿了，树木葱茏了，河水流动得也快了。斜斜春雨浸润了泥土，洗净了楼房公园的灰尘，使城市焕然一新。日照时间开始延长。黄昏，街上到处是一群群徘徊嬉笑的年轻人。他们重新坐满公园树荫下的绿色长椅，喁喁私语，倾听着草丛下小虫子的吟哦和栖息在树上的鸟类的呢喃，陶醉在扑鼻的花香和爽人的晚风中。

我新交了许多朋友，其中不乏有钱有趣的人。我和他们挺合得来，经常在一起吃饭、游乐。有人说要和我结婚，我一笑置之，也不往心里去，还照常来往，照常做朋友，彼此十分自然。不演出的时候，我也读读英语。我希望几年后能考取艺术研究所的舞蹈研究生，将来跳不动了，就坐下研究研究舞蹈史，收集收集各省的民间舞蹈素材。

不久，一个西方国家的电影回顾展开始，我买了一套票，天天去看。一天，我到得早了，剧场里还没有几个人，我坐在池座后边吃蛋筒冰激凌，看今日的影片内容简介。偶一抬头，看到石岜从旁门进来，径直走到我前面几排坐下。他没东张西望，一坐下就和旁边的一个女孩说笑，从她手里拿影片简介看。电影开映了，剧场的灯灭了，座位坐满了人，他消逝在黑鸦鸦的人头中。那天放映的是两部伤感电影，我哭成了泪人。

第二天我没去看电影。小青姐问我，我说电影演得令人心碎。

第三天，是两部喜剧片。我到得晚了，进剧场时眼前一片漆黑，不停地与人碰撞。周围的人纷纷抱怨我挡住了他们的视线。

“到这儿来。”一个人温和地说，牵住我的手，像领盲人一样将我引到一个空座位。

我的眼睛慢慢习惯了黑暗，石岜的面容轮廓一点点浮现出来，渐渐清晰——他在向我微笑。

“不在不在，就说我不在。”我怒冲冲地喊。

"你还是跟他说两句吧。"小青姐拿着话筒为难地说。

"喂，"我抄起话筒，"你要干什么？"

"你不要那么无礼嘛，还不知道我要跟你说什么就不接电话。"

"好吧，你要跟我说什么？"

"我中午到你那儿去，帮我打份饭。"

我还没来得及讲话，他就飞快挂了电话。妈的！我啪地一摔电话。

"别摔电话呀，那是公共财产。"小青姐忍着笑说。

我横她一眼，又摔了下电话，闷闷不乐地回房。

"没给你打饭。"我对石岜说，"我自己也没吃。"

他环视我们宿舍。小青姐她们正在吃饭，自得其乐地小声说笑。他上次来这儿是去年秋天，那时我正热恋着他。那天从这儿出去后出的事，好像都是很久以前的事了。

"你们不是要搬家吗？"

"没搬，新房子分不下就没搬。你坐吧。"

"你真的没给我打饭？"他似乎有点失望，"那有别的什么吃的没有？我饿得厉害。好几天没正经吃饭了，忙得头昏脑涨，原以为到你这儿一定能吃上。"他看看我，"我记得你过去说过，不管将来什么时候，我要饭要到你门口你都给。"

"你记错了，是我说我要饭要到你那儿……"我突然觉得无聊，说这种话，做这种姿态十分无聊，把放在一边的盖着碟的饭盒推过去，"你吃吧，给你打了，饭不太好。"

"挺好的。"他揭下碟看着菜，"你们食堂菜炒得不错。"

我把我的匙子擦干净送给他，他大口吃起来。看来这点他没骗我，他是饿了，狼吞虎咽地吃着。吃了一阵，歇下来看看我。

"你慢慢吃。"我站起来，"我给你倒点开水。"

我到小青姐那儿要了杯开水，小青姐问我他吃不吃榨菜。

“你吃吗？”我问他。

“不用了，这菜够了。”他嘴里嗆着饭说。

“你是不是还有点生我的气？”

吃过饭，小青姐她们要午睡，我把他领到我们大练功房，坐在地毯上。

“是不是有点儿？”

“没有。”我玩着自己的手指，小声说，“我没生气，有什么可生的。”

我看着墙上镶的银晃晃的镜子里映现出的钢琴，席地而坐的我们两个惆怅地发现，我们仍然那么年轻，那么般配，像电影里的美满情侣。一个我们舞队的女孩进来往练功杆上晾洗好的床单，冲我笑笑，低头抚平长长的床单。

“去年年底我给你打过电话，我搬家了。”

我告诉他去年年底我们去外地演出了。他问我去哪儿了，我掰着指头数了数，告诉他。我问他这段时间在干什么，他一笑，伸了个懒腰，说什么也没干，还在混。

“混到今天？”

“混到今天。”

一瞬间，我对他那种似笑非笑、满不在乎、过去曾把我深深迷住的劲头十分反感，只是一瞬间。我没再说话，他也不再说话。

我们坐了很长时间，楼道里喧闹起来，午睡起来的同事们乒乒乓乓地开关门，人来人往地洗漱。黑人舞《莫若》的演员在排练老师的吼叫中，进练功房排成队形温习一个片断，很多人一边跑一边看我们。

我走进一家挂着“正宗川菜，五味俱全”字牌的餐厅。这是那种白天营业、晚上开舞场的餐厅。天花板上悬挂着颜色庸俗的彩带，镀铬桌椅靠墙排了一圈，柜台供应着甜酒和冷饮。有个五六个人的小乐队在奏着乐，十来个人在黯淡的灯光下跳舞，还有一些人坐在一边喝着饮料看。

领我来的朋友说：“你先坐会儿，我去找经理。”

我找了张空位坐下，看那十来个人跳舞。有个背头管裤的男子在带其余的人跳，看不出跳的什么舞，一概扭屁股。一个女服务员送来一高杯“菠萝宾治”，收我的入场券。

“没有。”我说，“我是请来的。”

女服务员正要说什么，朋友领着经理走过来，把她打发走，给我们介绍。

“这就是我说的那位舞蹈巨匠，生下来就跳舞。”

“欢迎欢迎。”经理热情地和我握手。一齐坐下，打着响指叫服务员又送来两杯果汁。

经理是个三十多岁的男人，我看他有点面熟，好像在哪儿见过，是谁的朋友，又想不起来。

“听说了你的情况。”经理说，“我们这很需要你这样的专家。”他指指正在领舞的男子，“那位是我们现在用的舞蹈老师。”

“唬牌的。”朋友对我说。

“你看他跳得怎么样？”经理问我。

“我不知道他跳的什么。”

“我也不知道。”经理说。他转身问旁边座上一个观舞的女孩，回过头来困惑地说，“卢旺达的什么舞。”

“黑人舞的摇摆晃动一般来说比较接近原始人对身体的自然

驱使。”我说，“他看上去上身过于挺拔。另外，运动中的侧身左右摆动是拉美舞蹈的典型特征。”

“我已经发觉这个大屁股家伙是个骗子了。”经理说，“不过我主要是照管白天餐厅的营业，舞场的事是我一个朋友经办的。我把他叫来，“石岜。”他拍手向左近一堆正在喝酒谈笑的人中叫唤，“你来。”

石岜从人堆中站起来，神采奕奕地微笑着，一跛一跛走来。半路上，他看到我，笑容收敛了。

“我给你介绍一下，这位是跳外国舞的专家。你叫什么名字？”

“她叫于晶。”朋友说。

“噢，于晶。人家才是真李逵，你把你那个骗子赶走，请她。”

石岜冲经理点点头，又看看我，微笑起来。经理继续唠唠叨叨跟着石岜说：

“你跟那个骗子说，以后他可以免费在这儿跳，不过不要猪鼻子插葱——装象了。不要以为我们什么都不懂，我们也懂得一些。”

“不不。”我对经理说，“你还是让那个人教吧，我不能在你这儿做事。真的，我只是来看看。”

“这是什么意思？”经理看我的朋友。

“先头说好的呀。”我那个朋友说我，“你怎么变卦了？”

“我们不会亏待你的。”经理说，“这个你放心。”

“不，不是钱的事。”

我起身走了。经理在后面跟我的朋友发脾气：“我不喜欢别人这么要挟我，就是巨匠也不行。让她走！”

“我知道怎么回事。”石岜跟他说，“这事我来办。”

他追上我，不顾我的挣扎，拉我坐在另一处角落。问我：“是因为不喜欢我吗？”

“我没想到碰到你，没想到是这么个场所，人家只跟我说是个辅导班。”

“是个辅导班。边辅导边跳，别致一点。”

“你包办舞会一晚上能搞多少钱？”

“不多。你瞧，没多少人上当。”

“多少钱？”

“我没发财，离发财还远着呢。”

“你一直在干这个？”

“刚开始干。这不算骗人，是正当的，现在萝卜都什么价了？”

“那你的票价也太高了。”

“你有什么好路子吗？”

“没有。”

“那就帮帮忙。”

“不成。”

“不喜欢我？”

“不是。”

“喜欢我？”

“是的。”我哭了，“可不帮你的忙。”

我也觉得自己太傻，太没骨气，也许会再挨次涮，可我没办法，我喜欢他。尽管我们在一起要不幸，分手会痛苦，我都不在乎。来吧，再来几遍都可以！

我不让他来我们团，没事我就去那家叫“吉利”的川菜馆找他，不睬经理的白眼。一起喝喝酒，闲聊一会儿。我发觉他和我们一年前认识时一样，处境、情绪都没什么变化。除了两周办几次舞会，他还兼做那些乌七八糟的空头生意。只是录像机变成微电脑，“傻瓜”相机变成自动按摩靠垫。他还是那么固执地要发笔横财。他跟我说：

“我们种种不顺和苦恼归根结蒂一个穷字。为挖这个穷根，我什么都不吝，就是搭上一切也在所不惜。你为什么不说话？”他问我。

“我自知不敌。”

来找石岜的朋友很多，在“吉利”进进出出终日不断人。虽然他们互相请客时出手大方，喝了酒也会亲热得推心置腹，眼泪汪汪。但一谈到生意钱财就会立刻变得冷若冰霜，锱铢必较，有时还会吵得面红耳赤，破口大骂，每当石岜被人家“瘸子”、“拐子”骂了一通后，蹒跚地走到我桌旁坐下，一言不发时，我就为他深深地难过。

我们演出，我都给他送票，他几乎都去看，坐在第一排。我一出台就能看到他，目不转睛，正襟危坐。《布莱伏》我的位置在前台，我几乎是在咫尺地俯视他，在他面前扭来扭去，众目睽睽之下，无所顾忌地互相凝视。《贡卡》舞最后要请一些观众同舞，我就下去和他说两句话。

“你为什么总不笑？别人都笑。”他老这样说我。

“你也不笑。”我说。

下次，我一出台他就微笑，我也笑，可很快，我们又不笑了，面孔呆板地互相凝视。

《贡卡》舞时我下台走到他面前，竟不知说什么好。

“演出完你回团吗？”他问。

“回。”

“我想在后台门口等你。”

“不，你别等。”我快步返回台上。后面的舞我只跳没看他。

散场后，我第一个洗完澡出来，在后台门口徘徊了很久，直到大家都出来上了车喊我，才上车回团。

第二天他没来。排练老师在条幕边骂我：“怎么啦？像袋土豆。”

“地板太滑。”我说，“站不稳。”

下台后，我到盥洗室拧开水龙头，把舞鞋浇湿。回到化妆室踩了踩松香，坐在镜前重新化妆。把眼圈旁洇了的油彩揩去，重搽。

“你为什么还不结婚？”我坐在“吉利”满屋酗酒喧嚣的青年男女中问他。

“我妈妈临死前嘱咐我，”他嘻嘻哈哈地说，“不到四十不许纳妾。”

“你发烧了？满脸通红。”

“昨天夜里蹬了被子，有点着凉。”我坐起来倚着。

“快躺下。”石岜按住我，“我坐会儿就走。我没事，就是来看看你——今天你没去找我。”

“本来想给你打电话的，头晕就没打。”

“试表了吗？”

“早上试了。”

“药吃了吗？”

“嗯。”

“发烧就别去天津演出了，请个假。”

“没事，吃了药烧就会退的，这会儿已经好多了。”

“我能帮你做点什么？”

我翻身向里，闭上眼睛。

“怎么了你，干吗哭？”

“你帮不上忙。”我一下哭出声，“想家了！”

“有句话想跟你说。”石岜在北京说。

“有什么话回去说不行吗？再过一个星期我就从天津回去了。”

“不行，就得现在说……”石岜的声音忽然微弱了，话筒里一片杂音。片刻，他的声音又清晰了，“去年秋天我做了一件蠢事，现在我非常非常后悔。我觉得我实在是太对不起你了……你说话呀！说话呀……”

嘈切的杂音淹没了他的喊叫。

我从床上轻轻爬起来，穿衣服，蹑手蹑脚地开门去洗漱间。我梳洗了很长时间，一直到镜子里的人变得十分漂亮。我小心翼翼地拧开楼门的锁，走进院子里，翻过铁栅栏大门，来到空荡荡的街上。晨曦已经出现在天际，路灯还未熄灭，偶尔，一辆早班车载着打瞌睡的售票员和乘客驶过。我在马路上匆匆走着，不时跑上两步。拐过一个街口，火车站庞大的身影矗立在眼前。候车室内灯光刺眼，一片寂静，成百上千的旅客无声无息、横七竖八地在地下椅上熟睡。我买了张站台票，小心翼翼地穿过这些或仰或侧、姿态不一、表情安详的人们，急煎煎地冲进站台。一列北上的特别快车拉着笛正要启动。我跳上最近的一节车厢，列车员见我拿的是站台票，往下赶我。“我认罚。”我冲她喊，生气地甩开她的手，走进车厢。列车呼啸着，一路不停地驶向北京。

北京的天已经亮了，下着倾盆大雨。我跑进雨里，身上立刻湿透了，我披散着头发在雨中的街上飞跑，溅起一路水花。“过来避避雨，姑娘。”街旁屋檐下一个老太太冲我招手。我笑着摇着头跑远。看到“吉利”了，透过白茫茫的雨雾，我看到前面街旁刚开门的“吉利”餐厅，白底红字的招牌，店堂里飘出的蒸汽。

跑进店里，我已经精疲力尽，光喘气说不出话，滴答下来的水很快在脚下形成个小水洼。

“晶晶——你发什么疯！”

他诧异地瞪着眼，从桌旁站起向我走来。

“我想，想叫你，”我疲惫地靠着店门，大口喘着气笑着说：“惊喜一下——就跑来了。”

石岜叉着腰站在我面前看着我，一动不动，接着泪水涌进他的眼眶，他笑了。

“把你衣服都弄湿了。”我有气无力地笑着说，骨节被他勒得咔咔响。

那些天哟，我们真快活，深深沉溺在幸福中。我演出，他就坐在台下一场接一场地看，往返于京津道上，只为看我一个人。我不演出，我们就整日在初夏阳光灿烂的海河边，长安街上溜达闲逛。我挽着他，他搂着我的肩膀，开心地放声大笑，招摇过市。我说过，我们是相当般配、引人注目的一对，像电影里的情侣。甚至他那条跛腿在我们并肩而行时也成了一种独特的风采。回到北京后，我们去街道办事处履行了婚姻登记手续。我们都通过了婚前检查，没有遗传病、传染病和其他不能结婚的疾病。我们的后代将是聪明、强壮的。当婚姻登记处的女职员问我：“于晶，你是自愿和石岜结婚吗？”我毫不害臊地大声说：“是！”惹得一屋子人都笑了。石岜也兴奋得红了脸。我却希望女职员再问问我，我会一迭声地回答：“是！是！是自愿的！”我们没买什么东西，因为是夏天，连新被褥也没做。我在团里散了点糖，和石岜的朋友们在“吉利”喝了个天昏地暗，欢闹了一通，然后，回到他现在住的小屋，整夜相亲相爱。我的婚假只有三天，不能回家。爸爸妈妈来了信。虽然他们对我的结婚感到突然，但也没说什么，只是祝我们“新婚快乐，白头偕老”。我给他们打了个很长的长途电话，石岜也跟他们说了话。妈妈在电话里哭了，我也哭了，答应她，有空就回去看她。我跟石岜说：“将来你要离婚也要等我爸爸妈妈死后。”他说：“离婚？你要再提离婚我就弄死你。”十分凶恶。

“你干吗不早点娶我呢？”晚上我总说他，“耽误了多少好时光。”

“我总是这样，乱丢一气，然后，拼命往回找。”

“可是，有的东西找不回来。”

“什么？”

“水。”

有时半夜，他把我推醒，问我：“你做什么梦？这么拼命哭。”

“什么也没做。”我不想告诉他。

“还有什么不能跟我说吗？”

我说我总梦见被一个巨大的、不断膨胀的黑物吞噬。我紧紧搂住他：“我害怕。”

“怕我？你还有什么不满足？”

“不。”我使劲摇头，“我满足。”

“我也满足。”他说。

“你骗人！我感觉得到，你就是躺在我身边，也像是一只饥饿的狮子，目光灼灼，低低咆哮。”

他打了我一耳光，我捂着脸一字一板地说：“你瞒不了我。”

“他妈的！”石岜把被子掀到地上，狂怒地喊，“怎么结了婚还这样！”

团里由几个著名歌星组成的小队向我们舞队要几个人给她们伴舞，名单里有我。老师找我谈话，问我想不想去。歌星队的演出收入十倍于我们歌舞大队，我无法抵御那种诱惑，尽管知道别的演员都说不去，我还是说去。老师当场就急了，说：

“你的事业都不要了？就为多挣几个钱！我没想到你这孩子是这样，大学毕业去给人家伴舞。你这么年轻，搞了这么多年舞蹈，就为这个——钱？”

“是的。”我难过地说，“就为这个。我需要钱。”

“你真叫我们老师寒心。本来我们还说你不错，以后考虑给你多安排些节目。而你，自甘堕落。我决不答应让你去当什么伴舞。”

我低着头，只是对好心的老师说：“对不起，对不起。”

一天，我们正在一个公园的音乐堂演出。我刚化好妆，有人找我。我以为是石岂，赶紧走出来，却见是小杨。

“你怎么来了？”我又惊又喜。舞蹈学院毕业后，小杨分回云南，我们有一年没见。

“我怎么不能来？”小杨笑着说。她黑了，瘦了，精神却很好，不像去年分回去前那么消沉。她说他们这次带了个舞剧来北京调演，文化部和民族事务委员会主办的。

“当然是你的主角了。”我羡慕地说。

“小地方的舞剧，粗糙得很。”

“我们留在北京的同学还没一个上舞剧的，还是分回省里强。”

“那你们当时干吗不回去，像躲瘟疫似的躲省里来要人的老师。我不也是没躲过去才回去的。”小杨问我，“你现在怎么样，挺好的？”

“挺好。”我忙说，“这团条件不错，新盖了房子，练功房和宿舍可漂亮了。还要盖大剧院大酒店，专门接待外宾。以后我们团就是北京一个名胜了，旅游手册都要写上的，和四季青人民公社，‘全聚德’烤鸭店齐名。”

“你和石岜怎么样了？上封信你说你们又和好了。”

“我们结婚了，没告诉你真抱歉。他对我特别好……我很满足。”

“他还在倒腾买卖？他那个人挺逗。”

“他不太干了。嗯，你知道他能写几笔，正在写小说呢。”

“是吗？”

“噢，他一会儿就来。我每次演出他都来，他对我特别好。”

正说着，石岜吊儿郎当走进后台。看见小杨先愣了一下，接着便笑喊：“怎么，胡汉三又回来了。”

小杨笑着说：“又回来了。你还是老样子。”

他们俩握了握手，石岜往旁边一坐。我问他干吗去了，他说在广场上看了会儿人家放风筝。又看着小杨说：

“《咪依鲁》是不是？我全知道，晚报登了，彝族舞剧，领衔主跳。”

“你消息还怪灵通的。”

“那是，好容易报上看见一个认识的人，还不眼睛一亮。哪天首演？”

“过两天。到时候去看吧，别嫌丑。”

“哪能呢，没看我就知道不错，不看看谁的大梁，嘁！”

“你现在天天在家写小说？”

“没有。”

“候场啦，《满妃仪》演员候场了。”老师在后台叫人。

“我得上台了，你陪小杨坐会儿。”我跟石岜说。

“我能不能从后台下去看你们演出？”小杨问我。

“哟，这儿后台管得挺严，不好下。”

“有什么不好下的，”石岜插话，“我回回从后台下去看，从没人管，别看瘸一条腿。”

“谁能跟你比。”我瞪石岜一眼，又对小杨说，“别看了，没什么好看的，还不是咿哩哇啦那一套。”

“看看你呀。”

“你根本找不着我。”

石岜看我，我白他一眼。他一笑，跟小杨说：“确实没什么好看的，你在台上也找不着她。她们那舞是熘肉片，大小厚薄一模一样，脸上还勾了芡。不像你们《咪依鲁》，干烧鱼，你是那鱼，从头到尾都是菜，别人不过是胡萝卜、辣椒丝而已。”

“别拿我开心了。”小杨说，笑了。

我笑着起身对镜整整头饰，穿着高底鞋踩着碎步走了。石岜这大扯子跟小杨侃开来。

“咱那买卖怎么着了，不开了？”

“你还想哪，我早忘了。你说去云南也没去呀。”

我《满妃仪》下来，看到石岜和小杨眉飞色舞谈得正热闹。便先去换了妆，笑微微地坐在一边。石岜转脸对我说：

“小杨正跟我说她在云南采风的事。一个女孩，走州穿县，跋山涉水，了不起是不是？事业家呀你——小杨。”

“我当然不能跟人家比了。我们，匠人，这辈子就这样了。”

“我怎么闻着醋味了，谁在后台吃饺子呢？”

“我也是逼到那份儿上。”小杨说，“我还想跟晶晶换个位。光看见我在北京出这么几天风头，没瞧见我在云南憋得死人一样，这辈子能来几回北京。”

晚上回到家，石岜又不洗脚就上床睡觉。我揪他耳朵："去，洗脚去。"

他假装睡着不理我。我给他打来水，狠拉一下他耳朵，甩手走开。他疼得蹿起来，揉着耳朵说："你这不是闹着玩，故意伤害。"

"对。"我回头说，又问他，"我晾的那杯水呢？"

"不知道。"他闭着眼睛把脚泡在水盆里。

我去外屋找了一圈，找着了空杯子，忍着气问他；"是不是你喝了？"

他仍旧闭着眼边擦脚边笑着说："不是。"

"就是你喝的。"我一下火冒三丈，把他拽下地，刚洗干净的脚又踩脏了，"你这人怎么这样，人家演出那么辛苦，好容易晾了杯水，你还给喝了，什么人呀。"

"你别冲我撒气。"他笑嘻嘻地说，"我又没招你。"

"谁冲你撒气？你说你对不对，一点不会体贴人，就会气人。"

"我气你了？"

"你气了你气了，就是你气了。"

"拉不出屎赖茅房。"

我气哭了。

"好好，我不对我不对。"石岜忙哄我，"别生气，我给你晾水，晾一盆。"

那一夜，我没喝水也没理石岜，自个抱着被子哭着睡着的。我也知道，石岜有点冤枉。

小杨她们舞剧公演后，北京大报小报都登了文章，连英文的《中国日报》也发了消息和剧照。一些中央领导同志（主要是云南籍和少数民族出身的）以及各国驻华使馆人员都看了演出。我和

石岜也看了演出。石岜还买了所有刊有肉麻吹捧文章的小报给我看，跟我说，

“什么狗屁文章，‘群舞整齐，表演认真……理解人物深刻，有激情……’简直不知所云，马屁全拍到马腿上去了。”

“什么叫拍马屁，”我呵斥他，“人家演得就是好。”

我跟他说我们结婚没请小杨，应该补请，让他和小杨联系，看哪天休息，到家里吃饭。

“在家折腾什么，外面找家好一点的馆子不就行了。”石岜说。

“就在家吃。”我说，“我们是好朋友，她给我看了她的拿手戏，我也得给她看我的拿手戏。”

小杨演出休息那天，我请了假，在家准备了一上午。石岜去接小杨，半天没回来，我等得着急，不住出门张望。石岜小杨到底回来了，一起还有一男一女。

“遇见两个朋友，好久没见，就一起来了。”石岜说，“这是刘华玲。”

我向那个雍容华贵的女人笑笑。

“你们不是见过一次嘛。”石岜说。

“那次是她呀。”刘华玲说，“我都记不清了，还以为是另一个。”

“石岜，”同刘华玲一起来的那个男的说，“换得勤。”

石岜笑笑：“胡扯。”

那男的也笑着对我说：“不得罪吧？”

“不得罪，我知道他。”我笑着让他们进屋，“坐吧你们，抽烟。我得去厨房炒菜了。”

石岜跟进厨房，看看我准备的菜。

“够吗？”我问他。

"够了。"他数数酒瓶，"酒够就行。我是在路上遇见他们的，非要来看看，其实那男的我根本不认识。"

"别解释了。"我切着菜说，"来就来呗，人多还热闹。你去陪他们先喝着酒吧。"

石岂拎着几瓶酒出去后，小杨又进来，"要我帮忙吗？"

"不要。"我笑着说，"你就等着吃吧。"

小杨站在一旁看我熟练地忙活，笑着说："没想到你还有这一手，在学校你可光会番茄拌面。"

"英雄无用武之地嘛。"我说，"我记得那会儿冬天什么吃的都没有，又嘴馋，练功回来就偷食堂的大白菜裹在衣服里拿回宿舍……"

"放在脸盆里用加热器煮,吃得可真香。"小杨笑着接着说,"那会儿可真是穷学生。"

"你看我胖了吗？"我问小杨。

"你还好。"小杨打量着我。

"我要成大胖子了，从学校毕业我长了十斤肉。"

"你有福，我可是掉了十斤肉。"

我和小杨一齐笑起来，"哈哈哈"，外屋传来一阵更响亮的笑声。石岂和他的两个朋友边喝酒边说着笑话，开始，还挺规矩，后来就有点闹了。大概他们觉得有些冷清，就端着酒杯挤进厨房。

"你们干吗哪？还没炒完菜。"

"马上就好。"我加快了动作。

"我来给你们炒一个菜。"刘华玲喝了口酒，放下酒杯，夺我的炒勺。

"你行吗？"石岂问。

"开玩笑，过去我家的菜都是我炒。"

我们一起坐到餐桌前时，大家尝了尝刘华玲炒的菜，一致认为不错。

“好长时间没干了。”刘华玲一手执箸一手端酒杯说，“我在外面那个家的厨房有三十平米，但我除了煎鸡蛋，什么菜也没炒过，一个人没兴趣。”

“你没结婚？”小杨好奇地问。

“结了，又离了。”刘华玲做了个潇洒的手势。

“感情破裂？”

“哪来的什么感情。”刘华玲大笑，“就为了离婚才结的婚。”

小杨被她搞糊涂了，又不好再问。我听石岂讲过她的事，对小杨说：

“为了得笔赡养费。她嫁了个有钱的外国人。”

“为钱？”小杨小声说。

“对。”刘华玲听到了，笑着对小杨和我说，“为钱。挺卑鄙是吗？”

“有什么卑鄙的？”石岂插嘴，“这太正常了，人之常情。”

“你不是第一个对我表示赞赏的，干杯！”刘华玲和石岂挺脆地碰了个杯，一饮而尽。

“我也不是第一个？”刘华玲带来的那个男的问。

“你也不是。”

他们又干了一杯，喝完一瓶红酒。石岂开了瓶白酒：“喝这个，这个有劲。”他们三个又斟满酒，满饮。石岂说：

“钱，好东西。你是幸福的人。将来我有女儿，也许她嫁老外。”

他们三个带着醉意嘎嘎笑。小杨看我一眼，我一笑，慢条斯理地喝我的酒。

“有钱和没钱的确不一样，不承认不行。是不是华玲？”那个男的感慨万分，对石岜说，“华玲算咱们师姐了吧？道行高呀。”

“算师姐！”石岜一举杯，“为师姐干杯。”

“干，师姐，跟我们说说，有钱怎么个快活法？”

“尽可以醉。”刘华玲舌头打着结说，“一醉方休，无忧无虑。想什么时候喝就什么时候喝，不用忍着头疼上班。敞开喝，喝最好的酒。”

“支援农业现代化？”

“还有，不用生儿子。”刘华玲说，“到哪儿都有一帮干儿子。”

“他们喝醉了吧？”小杨小声跟我说，“别让他们喝了。”

“让他们喝，我家地上能躺开。”我把录音机打开，用强烈的音乐盖住他们的喧嚣。

“她骂咱们呢，你没听出来？”石岜大声跟那个男的说。

“骂呗，谁让她有钱的，人穷志短。”那个男的跟石岜说，“我三十了，到现在家无隔夜粮，到处蹭饭吃，这他妈也叫为人一世。都是人，谁不比谁短多少，怎么香嘴巴都亲到她刘华玲的屁股上？气死活人哪！”

“你怎么不死去？”

“你怎么不死？”那个男的火了，“你不就比我多个好媳妇，可少那么一截腿，也强不到哪儿去。”

“你们吵什么！！”刘华玲喝得满脸通红，不耐烦地喊，“你们也别死呀活呀的，以后有我的就有你们的。我喝啤酒不能让你们喝马尿，我吃肉片不能让你们吃狗屎。”

“我们怎么能花你的血汗钱。”石岜带着那种醉汉的和蔼和正义感嚷嚷，“夺不能夺要饭碗，坑不能坑婊子钱。你留着养老吧，干儿子不可靠，买条好狗。”

“你当我打算活八十呢？”由于录音机的音乐轰鸣，每个人的说话已变成大叫大嚷，“一旦脸上的粉盖不住褶子，我就自杀。你猜我打算怎么死？拣处悬崖跳下，尝尝自由落体的滋味，默默地躺在深山，血沃中华。”

“遗臭万年？”

“一个意思。”

“呸！”

“钱呢？”那个男的定定神问，“你的钱怎么办？”

“什么？”刘华玲没听清。

“钱！”那个男的贴着刘华玲的耳朵喊，“你的钱怎么办？”

“全他妈当大便纸擦了屁股，给就给真不要脸的。”

刘华玲嚷完，一把搂住我，吓了我一跳，酒洒了她一身，她也不管不顾，喷着酒气对我说：“我知道你不喜欢我，可我喜欢你。你是个多好的女孩，当年我像你一样，比你还漂亮。你怎么爱上石岜呢？太不应该了。他是什么东西我知道，没出息，不伦不类的男人。你指望他发财吗？没戏，他没戏。发了也没劲，我发了，有的是钱，那又怎么样？跟你说句真心话吧。到了我这一步，晚上躺在床上睡不着，想的不是接过厚厚一叠钞票时刹那间的快感，不是欢耍游乐时的恣意放纵；而是你这个年龄时在路上遇到的一个微笑，早晨起来看到的一个正在升起的太阳。来世——如果有的话——我要当一朵花，在阳光中开放；我要当一只小鸟，飞在天空，只让孩子们着迷……”

刘华玲说不下去了，呜呜哭起来。

“她胡说八道什么呢？”她带来的那个男的问石岜，“是不是骂咱们呢？”

“跟你没关系，骂我呢！”石岜把唾沫星子全喷到那个男的脸上。

“骂你就是骂我，打丫的。”

那男的晃晃悠悠站起来。小杨吓得尖叫，刘华玲嘻嘻笑，我对那男的说：“你敢动她一下，我宰了你。”

“真的？”那男的大声诧异地问，走过来。石岜伸腿把他绊倒，他稀里哗啦地摔在地上，哇哇吐起来，像个漏的泡沫灭火机。石岜把他拖出门，扔在马路边。刘华玲也不行了，醉得又唱又笑，咕咚向后摔过去。我忙拉她，她在地上打挺，嘴里说，“我死了，牺牲了。”

石岜进来说：“扔出去喂狗。”

“不。”刘华玲恐怖地喊，“不喂不喂。”

我安慰她：“不喂。”

“把我的骨灰撒在祖国的江河湖海。”

“好好，一定撒。”

我扶她到里屋躺下。

“不许她躺到我们床上。”石岜声嘶力竭地喊。

“你好啦。”我往回推石岜。他身子也已经软了，一推就倒了。

“拉我起来。”他冲我伸出手，“拉我起来！”

“不拉。”我也冲他喊，“想起就自己爬起来，不想起就躺着。”

疯狂的音乐震天价吵，响彻房间每一处角落，钻进人的每个细胞，使人的血从四面八方奔涌进心脏。接着，戛然而止，键子嗒地跳起，犹如毒药喷进了鼠窝，欢蹦乱跳的老鼠们一下全无声无息了。

我们三个重新在狼藉的桌前坐下。房间里静得人都感到耳鸣，说出话来也是瓮声瓮气的。

“该咱们喝了。”我对小杨说，“喝点吧。”

“不。”

“你不想喝？”

“想喝，可有演出，不敢喝。”

“那我喝了。”

我开始一杯接一杯地喝酒，和石岂对着干。很快，我醉了。原地不动也觉得像在溜冰，一圈圈旋转，屋里的景、物、人一一飘逝，又一一再现。我仍然喝着，不知过了多久时间，发现只剩我和石岂两个人了，只剩两张皮肤紫涨、眼睛血红的脸。这两张脸像镜子一样互相映照，忽而年轻，忽而苍老，忽喜忽悲，你中有我，我中有你。

“人呢？”我失去知觉前问。

“在岸上。”石岂说，“浮上去就看见了。”他在屋里做游泳状，踩着椅子上了桌子。

（原载《当代》1985 年第 6 期）

一半是火焰　一半是海水

上 篇

一

“喂，两对都进房了。房间号 927、1208，还有一只野的，进了 1713。”

“知道了。”

我放下电话，马上穿上西服外套，提起书包，招呼正在看电视的方方，三步并作两步跑下楼。我那辆花四千元买来的旧“白茹”车停在街角的便道上。我们坐进车里，把汽车迅速地开上马路，直驶远处灯火辉煌的“燕都”大饭店。在饭店旁边的一条林荫道上，我把车停在一溜轿车的后边，下了车，“乒乓”关好门，快步加入一群刚从一辆大旅行车下来的日本游客中间，走进“燕都”饭店富丽堂皇的大厅。彬彬有礼地站在总服务台里的卫宁不易察觉地给我们使了个眼色：一切正常。我和方方走进盥洗室，打开皮包，拿出两套警服换上，走出盥洗室，沿安全楼梯爬上去。爬到第九层，我们都有点气喘吁吁，待呼吸均匀了，我们走向服务台，坐着的服务员抬头诧异地看我们。

“我们是公安局的，请开 927 房间。”

服务员顺从地拎起一串钥匙领着我们走向长廊尽头的一间客房。

“里边有客人。”服务员看到门上挂的“请勿打扰”的小牌，回头对我说。

“知道，打开锁。”我命令道。

服务员扭开锁，站在一旁。

“你回去吧。”方方粗鲁地挥手赶开服务员。

服务员消逝在走廊的另一端，我和方方立即开门冲了进去……

我和方方带着亚红出来，皮包里塞着几千崭新的钞票，神情严肃地走过服务台，进了电梯间，方方和亚红忍不住笑起来。

“你们笑什么，真他妈没劲。”我说着也忍不住笑了。我对亚红说，“你在下面酒吧等会儿，我们还得上去收拾十二层那小子。”

我们把电梯开到底层，让亚红出去，又开上十二层。

十五分钟后，我们换下警服带着另一个姑娘在酒吧找到亚红，一起喝了杯酒，亚红挽着方方先出去。我给总服务台的卫宁打了电话，告诉他事已办完，十七层那只野鸽让她舒舒服服睡一宿，早晨报警。我挽着另一个姑娘坦然走出饭店。方方已经把“白茹”发动了，我们一上车就开走了。

早晨，我被电话铃吵醒，睡在我旁边的亚红接了电话。告诉我，卫宁说那两个受到我们讹诈的倒霉蛋已经结了房钱走了，那只野鸽也被在大门等着的警察塞上车抓走了。亚红翻身又睡了。我却睡不着，一支接一支地抽起烟。阳光从厚重的窗帘后倾泻出来，我轻轻走到窗前，从窗帘缝隙看了会儿外面车水马龙、阳光明媚的街道，把窗帘拉严。我不喜欢晴朗的早晨，看到成千上万的人兴冲冲地去上班、上学，我就感到形孤影单。白天我没什么事可干，也没什么人等我，我的朋友们都在睡觉。我又抽了五支烟，看了看日历，然后穿衣服，洗脸刷牙，走出我住的这套公寓。我走过街角停放的“白茹”车，径直走向公共汽车站。尽管上班高峰已过，车内还是十分拥挤。一个坐着的中年男人下车，我刚要坐下，看到一个抱小孩的年轻妇女，便招呼她过来。

“谢谢。”年轻妇女坐下后，又逗弄着小孩说，“谢谢叔叔。”

“谢谢叔叔。”

我冲小孩笑笑。小孩从衣兜里掏出一块彩纸包装的巧克力，剥开纸刚要往嘴里填，看我瞅着他，举起巧克力给我。

“不要，叔叔不吃。”

“吃吧，没事。”

“真的不吃，叔叔要下车了。”

我挤下车，沿街走了一站，到单位医务室要了张“三联单”，打电话约了一个肝不太好的朋友去医院替我抽了一管血。又在商业区的两个储蓄所把我昨晚挣的那笔钱分别用我去世父母的名字存了进去，然后去邮局给一个交钱即可注册入学、不须考试的函授大学汇了报名款和一年的学费。我报的专业是法律。办完这些事，我到一家人不太多的豪华餐厅吃午饭。这家餐厅菜做得十分讲究，我看着漂亮的图案喝了不少红酒，又吃了几个浇了巧克力汁的冰琪淋，下午才走出餐厅。在报亭买了当天所有的日报和晚报，坐在电报局等长途电话的排椅上细细浏览。黄昏时我给家里打了个电话，方方接的。我们聊了会儿，他正在和卫宁下围棋，卫宁一早就来了，他们下了一天棋，他四胜三和五负，晚上准备凑人搓麻将。我告诉他我晚点回去，就挂了电话。

暮春时节，树木草地都绿遍了，花丛怒放。我走进一个举办晚间音乐会的公园，在音乐亭前等退票。一个老人送了我一张，我又转送给一对只有一张票的青年伴侣，坚决不要他们加倍的票款。在高大、油漆剥落的廊柱间，我看到一个美丽少女坐在汉白玉石台上看书，悬在空中的两条长腿互相勾着脚，一翘一翘。她一手捧书，一手从放在身旁的一个袋袋中抓瓜子嗑，吐出的皮儿拢成一堆，嘴里哼着歌，间或翻一页书，悠闲自在，楚楚动人。我悄悄走到她身后，踮脚看那本使她入迷的书。是一本很深奥的文艺理论著作，我一目十行地看了一会儿，索然无味，正要转身走开，忽听女孩说：

“看不懂吧。”她仰起脸，笑吟吟地望着我。

我脸红了，感到不知所措，因为我还会脸红。片刻，我镇静下来，说：“就是学生，这会儿在公园看书也有点装模作样。”

“我在这儿坐了一下午了，你瞧，我看了多少。”

她快速地把看过的页数捻了一遍。我捏捏那厚厚的一叠，联想到书的内容，怀疑地问：“你看这么快？”

“我也看不懂呗，就看得快。”

我们都笑了。

“不看了。”女孩把书撂到一旁，“你有事吗？”她问我。

“没有。”我说，“没人约我。”

“聊聊？”

“聊聊。”我在她旁边坐下，她把瓜子袋推给我。我不太会嗑瓜子，嗑得皮瓤唾液一塌糊涂。

“瞧我。”女孩示范性地嗑了一个瓜子，洁白的贝齿一闪，我下意识地闭紧自己被烟熏得黑黄的牙齿。女孩倒没注意，晃悠着腿四处张望。

“你是哪个学校的？”我注意到她里面毛衣上别着一枚校徽。

女孩龇齿咬着瓜子看着我笑起来。

“这就叫‘套瓷’吧。”女孩说，“下边你该说自己是哪个学校的，我们两校挨得如何近，没准天天都能碰见……”

“你看我像学生吗？”我说，“我是劳改释放犯，现在还靠敲诈勒索为生。”

“我才不管你是什么呢。”女孩笑着瞅着自己的脚尖，似乎那儿有什么好玩可笑的，“你是什么我都无所谓。”

我半天没说话，女孩也没说话，只是美滋滋地看着天边夕阳消逝后迅即黯淡下来，却又不失瑰丽的云彩：“那块云像马克思，那块像海盗，像吗，你说像吗？”

“你多大了？”

女孩倏地转过头看我，仔仔细细打量了我一遍：“你，过去没怎么跟女孩接触过吧？”

“没有。”我面不改色心不跳地骗她。

“我早看出来了，小男孩！刚才我看书时就看见你远远地，想过来搭讪又胆怯，怕我臊你一顿是不是？”

“我和一百多个女的睡过觉。”

女孩放声笑起来，笑得那么肆无忌惮，那么开心。

“你笑起来，”我说，“跟个傻丫头似的。”

女孩一下不笑了，悻悻地白了我一眼：“我不说你，你也别说我了。实话告诉你，我已经谈了一年多恋爱了。”女孩又笑了，有几分得意。

“是你的傻帽同学吧。”

“他才不傻呢，是学生会干部。”

“那还不傻？傻得已经没法练了。”

“哼，你这种只被爸爸妈妈吻过的小毛头也配说他。”

“我要是他，就敢跟你睡觉。”我微笑地说，“他敢吗？”

尽管天色已经很暗了，我也察觉得出女孩的脸绯红了：“他很尊重我。”

我哧笑：“嘁，尊重，别说了，咱甭说了。你也别装傻了。”

女孩闷了半天没吭声。我吹起口哨，叼起一支烟，把烟盒递给她，她摇摇头。

“又完了不是？”我取笑她，“敢在光天化日之下看书，不会抽烟，时髦半截。”

“你别来劲。”女孩不服地说，“给我一支！”

我把嘴上的烟给她，她抽了一口，“呼”地全吹了出去。我伸胳膊搭在她肩上，她哆嗦了一下，并没拒绝。我把她搂过来，她近在咫尺地看看我，拨拉掉我的胳膊，强笑着说：

“我有点儿信你和一百多个女人睡过觉了。”

“干吗有点信，就应该信。知道我外号叫什么吗？老枪！”

我听到窸窸窣窣收拾书的声音，恶意地笑着说：“我叫你害怕了。”

“才没有呢。”女孩站起来，“我只是该走了。”

“敢告诉我你叫什么，住哪儿吗？”

女孩跳下石台，亮晶晶的眼睛在黑暗中闪烁，笑着说：“啊哈！我还以为你能始终不同凡响，闹了半天，也落了俗套。”

“好，我俗。你走吧。哎，”我叫住她，“咱们要是再见了，就得算朋友了吧？”

“算朋友。”女孩笑着走了。

我笑眯眯地在石台上坐了一会儿，也跳下石台走了。

二

我和方方开着车在大街上兜风，看到路边有漂亮姑娘就把车靠过去嬉皮笑脸地搭讪，挨了白眼便哈哈大笑，在后面挖苦奚落人家一番。两个女孩子从一家食品店出来，捧着一纸袋果汁加应子，边说边笑边走边吃。方方把车开到她们身边停下，我摇下车窗叫她们："嘿！"两个女孩子停下脚看我。

"不认识了。"我说。

"是你呀。"其中一个女孩子绽开笑容，"真巧，你干吗去？"

"找你，"我说，"那天分手后我一直挺想你。"

"哟，"女孩子笑着说，"脸皮真厚。"

"你认识他？"另一个女孩子小声问女伴。

"不认识。"和我一起在公园里聊过天的女孩子含笑看着我，"他自称是个老流氓。"

我们一齐笑了。我欠身推开后车门，对她们说："上车吧，我带你们一段。"

两个女孩子钻进车里坐好，方方换挡驶上快车道。

"认识一下吧，我叫张明，他叫方方。"

方方回头冲两个女孩笑笑。和我有一面之交的女孩说："她叫陈伟玲，我叫吴迪。"

"迪，噢，美好的意思。"

"是。"吴迪笑着点头。

"你们去哪儿？"

"前面拐弯那个礼堂。"

"什么电影？"方方不回头地问。

“不是电影，”吴迪说，“是‘五四青年读书演讲会’。”

“那是什么玩意儿？”

“大概是她们学生搞的什么时髦东西。”方方撇撇嘴。

“你们是学文科的吧？”

“你怎么知道？”吴迪快活好奇地问。

“很简单，丑姑娘才去学理工。”

“诬蔑。”吴迪哧哧笑个不停，挺欣赏我的恭维，“我们是学英语的。”

“你们是干吗的，司机？”有着一双冷冷的大眼睛的陈伟玲问。

“我告诉过吴迪，劳改释放犯。”

吴迪笑，陈伟玲皱眉头，不屑地把脸扭向车窗外。看得出来，她不信我的话，认为我们至多是无所事事的花花公子，所以不屑一顾。

“他跟我说，”吴迪看着我笑着对陈伟玲说，“他和一百多个女的睡过觉。”

陈伟玲几乎是轻蔑地瞧我一眼。我知道她对我不会有好印象了，她和吴迪不是一路子人。不过我不在乎，我对她也不感兴趣。

汽车停在那个礼堂前，很多男女学生仨一群、俩一伙地聚在门前台阶上说话，走来走去。我叫吴迪凑过头来，咬着耳朵小声说：“明天下午四点我在人民英雄纪念碑下等你好吗？”她光笑不置可否。方方试图跟陈伟玲聊聊，被她噎得直背气。

“你怕你朋友吃醋是吗？”

“他不管我和别人来往，他很开通。”

“那怕什么？”

“嗯，你也去听演讲会吧，散了会我再告你去不去。”

“我才不听这裤裆里拉胡琴的扯淡呢，听他们的还不如听我的。”

“你要不听，我就不去！”

“你说去吗？”我问方方。

“去就去吧。”方方无所谓地说，“反正也没事，哪儿待着不一样？”

“好，我们去。”我跟吴迪说，“你也得来。”

“到时候再说。”她笑着推开车门下去。陈伟玲问她：“他叫你去哪儿？”

“没叫我去哪儿，叫我找他们玩去。”

“你去呀？”陈伟玲严肃起来。

“我没说要去。”吴迪含糊其辞。

我和方方下了车，跟在吴迪和陈伟玲后面走进礼堂。她们俩碰见同学站住说话，我们俩先进去在边上找了两个座。一会儿，吴迪和陈伟玲走过来，我把旁边空座上的两个书包扔开，帮同学占座的一个女孩嘟嘟囔囔冲我们翻白眼。吴迪一坐下就给我们打预防针，说演讲如何如何好，如何有教育意义，能打动人的心灵，百听不厌。

演讲会一开始，第一个女工一上台，我和方方就笑起来。演讲者工农兵学商都有，全部语调铿锵，手势丰富。也不乏声嘶力竭，青筋毕露者。内容嘛，也无非是教育青年人如何读书，如何爱国，是一些尽人皆知、各种通俗历史小册子都有的先哲故事，念几首“吼”派的诗，整个一个师傅教出的徒弟。等到一个潇洒的男大学生讲到青年人应该如何培育浇灌“爱情之花”时，我笑得几乎喘不过气来，已明显异于听众不时发出的会意的笑声。陈伟玲生气地瞪我，吴迪则开始用指甲悄悄却十分使劲地掐我。

“你们注意点。”陈伟玲不客气地说我，“自己没受过什么教育，就该好好听。”

“实话跟你说。”我也故意使人难堪地大声说，“我受这种教育的时候，你还是液体呢。”

陈伟玲气得满脸通红。吴迪又羞又不知怎么办好，为了回避四处投来的目光，装作什么事也没发生的样子，全神贯注地盯着台上演讲的人。

“瞧你那操行！”方方也辱骂陈伟玲，“还他妈受教育呢，胶鞋脑袋，长得跟教育似的。”

“走走，咱走。”我推方方，“甭跟她废话，挤对起咱们来了。”

我跟方方走到休息室，点上烟，抽了两口，又嘻嘻笑起来。“嘿。”方方捅我，我一转身，见吴迪走进休息室，看到我们，怯怯地、红着脸走过来。

“你们生气了吧？”

“没有，这点事我们哪会生气，没生。”

“你那个同学太不客气了。”方方说。

“她被你们骂哭了。”吴迪看看我们说，“正在座位上哭呢。”

“你替我们跟她道个歉吧。”我说，“我们可不是成心想得罪她，她是你的好朋友吗？”

“还可以，同学呗，也不是什么特别好的朋友。”

“吴迪。”

“嗳。”吴迪倏地转过身。那个演讲的男大学生笑着向我们走来。

“这是我朋友。”吴迪轻声给我们介绍说，看到我们眼中的笑意，脸绯红了。

“你们是吴迪的朋友？”那个小伙子热情地说，“演讲得不好，让你们笑话了。”

“哪里哪里，挺好挺好。”我客气地说。

“比前几个好。”连方方也有些过意不去。

“应付差使，准备得也不充分。”小伙子挺实在。

“韩劲。”很多人拥进休息室，一群男学生叫吴迪的男朋友。

“你们聊吧。”这个叫韩劲的小伙子匆匆走开。

“你朋友不错。”我欣赏地看着走到另一边去的小伙子。

“我知道，你们看不起他。”吴迪一脸沮丧，一脸委屈。

“哪儿的话，”我由衷地说，“我们胡说你别认真。我们敢看不起谁呀？劳动人民，粗鄙不堪。”

“得了吧，这会儿又踩乎起自己了。”吴迪斜了我一眼，嗔道。

“史老师。”吴迪和一个走过我们身边的三十多岁的男人打招呼。

“噢，吴迪。”那个三十多岁男人停住脚，笑着跟吴迪说话，看见我和方方，不笑了。

“史老师。”方方嘲讽地叫他。

史义德不自然地笑：“你好，张明，方方。”同我们握手。

“当老师了，人模狗样的。”我跟史义德开玩笑，“到底成了专职团干部，有志者，事竟成。”

我对愣愣地站在那儿、摸不着头脑的吴迪说：“我们是同学，都没念到毕业。他加强到校团委去了，我们哥儿俩是勒令退学。”

三

我坐在人民英雄纪念碑的长长石阶上等吴迪。我也不知道她会不会来，爱来不来，反正今儿天气不错，暖风熏熏。天安门广场上很多老人和孩子在放风筝。蓝天上，凤凰伫立，老鹰翱翔，沙燕翩翩。最惹人注目的是一个老者放的数十米长的五彩大蜈蚣，悠然起伏，飘飘欲仙，引得广场上的中外游客个个翘首望天，拍手喝彩。西边人民大会堂前，国务院总理正在主持一个大国元首的欢迎仪式。礼炮声中，军装笔挺的军乐队手执金光闪闪的管号吹奏着两国国歌，两位国家首脑在侍从的陪伴下踏着红地毯检阅三军仪仗队。

我看看手表，已经四点多了，站起身，走上纪念碑基座俯瞰广场。远远地，一个穿米色真丝绣花衬衫、蓝底白花蜡染土布短裙的女孩穿过人丛，急急跑来。她一直跑到纪念碑前花坛才站住，东张西望找人，目光扫过我也没停下。我也不叫她，耐心地看着她低头拨着腕上的手表，一步步慢慢走上纪念碑基座，走到我面前——猝然停下，才笑着开口：

"我倒要看看你到底看得见看不见我——我就那么不显眼？"

她光笑，瞅着我不说话。

"你晚到了十分钟。"

"没有！"她抬起自己纤细的手腕让我看她的表。

"别赖了。"我戳穿她，"我看着你拨的表针。"

她不好意思地嘻嘻笑。三军仪仗队执枪走分列式，两位国家首脑庄严地站在检阅台上。

"我以为你不一定来呢。"

"为什么？"

"我想史义德和陈伟玲一定不会饶我。"

她笑，看我一眼："史义德倒没说你什么坏话。他说尽管你们当年关系并不融洽，可他一直认为你是个极聪明的人，就是有点自暴自弃。"

"陈伟玲呢？"

她无声地笑，不说话。

“说嘛。”

“不好听。”

“没关系，我还怕人骂吗？”

“她说你们是流氓、无赖、社会渣滓。你们也确实把她骂得太狠了。”

“叫没叫你别再理我们？”

“叫了。”

“那你还来？”

“噢，谁叫我干什么我就干什么呀！”

“成，不易。”

“那是。”

人民大会堂前的欢迎仪式已经结束，官员们和外宾乘着黑色豪华轿车，在摩托警察的开道下，鱼贯驶出。围观的人群慢慢散开。

我和吴迪沿着前门东大街向崇文门方向走去。一开始还彼此保持一段距离，后来路上人多车多，不是被人流忽然隔开就是碰碰撞撞，她也就自然而然地挽上了我。我今天晚上没行动，可以和她消磨一晚上，说实话，我今晚唯一的目的就是勾搭上她。昨天下午我和方方听完演讲出来，在车里我就对方方说：

“那臭丫挺的简直不是女人，镶嵌体。”

“你说哪个，陈伟玲？”

“就是她。我看吴迪还不错，你说呢？”

“你和她约了一道？”

“耶斯。”

“有戏，老外一定着迷。”

“挺可爱的啊。就是太单纯，叫人不忍下手。”

“别恶心我了，就跟你第一次干这种事似的。”方方把车开得飞快，急促地转弯。

“一看就是从高中直接念大学的傻孩子。”我抽着烟评论说，“什么都新鲜，什么都想试试，往人家枪口上撞的年龄——你那套房子的钥匙给我。”

“我可事先警告你，我是个危险的、怀有不可告人目的的朋友。”

我们在一家很清静的餐厅吃饭，服务员上完菜就远远地退到一旁。我知道，同一个蔑视世俗看法、喜欢自己有独立见解的女孩子谈话，最好把自己说成一个坏蛋，这会使她觉得有趣甚至更抱好感。就如同拼命形容一个人如何丑，不堪入目——实际并不那么丑。她会细心地去找优点，而不是处处挑剔，去观察你的缺点。

“我贪财、好色、道德沦丧，每天晚上化装成警察去敲诈港商和外国人，是个漏网的刑事犯罪分子，你要报告警察可以立一大功。”

“我早看出来了。我就是便衣警察，来侦察你的。”

“你手提包里一定有个录音机了。”

“有。”

“那个人是不是你的同事？”我指一个垂手肃立、看着别处的服务员。

“是。”吴迪看看那个服务员，回过脸笑着说，“这儿到处都是我们的人。”

我们笑了一阵，聊起别的。吴迪问我：“昨天的读书演讲会你是不是觉得特恶劣？”

“那倒没有。”我喝了口酒说，“道理能牛成那样，也就不错了。”

“我看你昨天完全是一副轻蔑嘲笑的样子。”

“我只是觉得你们大学生喜好这套有点低级，想了解什么，自己找书看不就行了。而且这几位演讲者的教师爷口吻，我一听就腻。谁比谁傻多少？怎么读书，怎么恋爱，你他妈管着嘛！自己包皮还没割，就教起别人来了。”

“这么说，您是自己看书，自己寻找真理了。”

“错了。”我嬉皮笑脸地说，“我是压根儿就不从书中学道理、长学问的人。活着嘛，干吗不活得自在点。开开心，受受罪，哭一哭，笑一笑，随心所欲一点。总比埋在书中世界慨然浩叹，羡慕他人命运好。主人翁嘛。”

“多了解一些别人的经验教训，不也能使自己少犯错误，少走弯路，目的性强些？”

“我可不喜欢什么事都清楚地知道结局，有条不紊地按部就班地逐次达标，那也太乏味了。多一分远见，就少一分刺激。如果我知道下一步、每一步会碰到什么，产生什么结果，我立刻就没兴趣活了。”

“所以……”

“所以我一发现大学毕业后才挣五十六，我就退学了。所以我一发现要当一辈子小职员，我就不去上班了。”

“但你肯定会死……”

“所以我抓得挺紧，拼命吃拼命玩拼命乐。活着总要什么都尝尝是不是？每道菜都夹一筷子。”

“你不是已经体验了一百多个，还没够？死得过儿了。”

“每一个和每一个不一样，连面条现在也能做成一桌面条宴，世界是那么日新月异地发展。譬如说，一周前，我做梦也没想到会遇到你，现在我们却在一起吃晚饭，推心置腹地谈话。天知道往后会发展成什么样，没准会很精彩，全看我们俩了，这不是很有趣，很鼓舞人活下去？”

“你说，”吴迪感兴趣地问，“我们还会有什么发展？”

“没准你会爱上我，”她上钩了，我很高兴，“我也会爱上你。”

“可我已经有朋友了。”

“那算什么，没准你这个朋友，韩劲，是你将来最憎恶的人，没准你还会死在他手里。一本书，我翻开头，就能告诉你下面是怎么回事。可生活，只能走一步、看一步，甚至自己还能决定是喜剧还是悲剧。你看电影喜欢悲剧还是喜剧？”

“悲剧！能让我哭的电影我就觉得是好电影。”

“我肯定能让你哭。”

“你想害我？”

“怎么能说是害呢？假如说你爱上了我，假如啊——”

吴迪笑着点点头：“你说吧。”

“你爱上了我，吃完饭就跟我走了。我也爱上了你——这不是没可能的——深深地爱上了你，别笑嘛。可你是个水性杨花的姑娘，又爱上了别人，我悲伤而高尚友好地和你分了手。几十年过去了，我们都老了，又在这家饭馆偶然相逢。我孑然一身，你也晚景凄凉，感时伤怀，你哭了。”

“我看你不是什么书都不看，”吴迪笑得刚喝的一口酒赶忙吐进碗里，张着湿润的嘴唇说，“伤感小说就没少看。”

“你说可能不可能吧？”

“才不会呢，故事只能是这么个故事：我爱上了你，可你根本不爱我，我为你而死，你……”

“我看我们都可以当小说家了。”

“都是男的坏。”

“好啦好啦，往后看吧，关键是咱们得把这故事进行下去。现在，第一章，我已经爱上你了。”

“我还没爱上你。”吴迪笑，红着脸正视着我含情脉脉的目光。

服务员来结账时，吴迪坚持要由她付款。为了保持她的自尊心，使这个阴谋更像一个纯情的故事，我随了她。

从餐厅出来，天已经黑了，街上人仍然拥挤，车流活泼。吴迪再次挽上我时，我知道我已经成功了。这不是技术性的、在人群中走路的正常反应，而是恋人那种含羞带怯的紧紧依偎。

如今是传统道德受到普遍蔑视的年代，我没费多大劲儿，就完全克服了她对韩劲残存的一点责任感和因此引起的微微踌躇。方方这套房子是那种大批兴建的普通公寓，墙壁很薄，房间闷热，脱衣服很顺利。我没开灯，这样可以使她勇敢些。她的确很镇静，甚至在接吻时我还觉得她挺老练。当然，她告诉我她是“第一次”，我也跟她说我是“第一次”。后来，她疼哭了。她竭力忍着，我没听到一声啜泣，房间一片漆黑，什么也看不见，但我已经感到有点不对头了，她没骗我！我摸她的脸，摸到一脸泪水。

“你真是第一次？”

她没吭声，我有几分惊慌。我知道第一次对她意味着什么，这对下一步的诱惑实在不利，我还可能被她死死缠住。我不爱她，不爱任何人。“爱”这个字眼在我看来太可笑了，尽管我也常把它挂在嘴边，那不过是像说“屁”一样顺口。

到了清晨，我迷迷糊糊醒来，无动于衷地看看我身边坐着的那个女孩子。她一夜没睡，鬓发散乱，泪光莹莹地俯身端详、亲吻着我。

“醒了。”她冲我一笑，笑容里带着讨好和谦卑。

我闭上眼，由于过着放荡、没有规律的生活，我的身体亏得很厉害，这会儿是又累又乏，连还她一个微笑都没力气也没兴趣。再说，我也用不着再向她献殷勤了。

“你爱我吗？”她抚着我的脸轻声问。

“爱。”我想着怎么才能摆脱她。

“我也爱你，真的，你不知道我多爱你。”

“我知道。”

“你和我结婚吗？”

我哼哼笑了两声，不想破坏她的好兴致。

“我们俩将来一定会幸福。”她兴致勃勃地搂着我遐想，“我要对你好好的，把你伺候得舒舒服服的，永远不吵嘴，不生气，让所有人都羡慕我们。你想要个男孩还是女孩？”她问我。

“二尾子。”

“讨厌。你别睡，别睡。”

我睁开眼：“困着呢。”我欠身看看桌上的手表，“你该上课去了。”

“我不去了。”

“那怎么行，你还是去吧，学哪能不上？”

“我不想去，我要一直在这儿瞧着你。”

“有你看够的时候，现在我想睡觉了……怎么啦？”

她紧咬着嘴唇，眼中噙满泪水，一言不发。

“好啦好啦。”我拍拍她的脸蛋，“课不能落，下午我给你打电话。别生气了，我是为你好。”

我用嘴碰碰她的嘴，她的脸色柔和下来，抱住我亲了亲，下床穿衣服。

“你送我吗？”她穿好衣服，对着镜子用皮筋扎好头发，回过头来问我。

我已经有几分烦了，还是说："这儿的邻居挺讨厌，看见咱们俩一起出去会说闲话。"

"好吧，我不用你送了，下午几点给我打电话？"

"睡起来就打。"

"早点打。"

她走过来，捧住我的头，使劲、长长地亲了我一下，我差点窒息过去。

"再见。"她喜洋洋地走了。

"再见。"我愣了会儿神，翻身睡着了。

四

"好吧好吧，我去，你在门口等我吧。真要命。"我挂了电话，生气地点着一支烟，走回牌桌看亚红的牌。

"又是吴迪？"方方看看自己的牌，打出一个"白板"。

"简直是追杀。"我帮亚红打出一个"红中"："这玩意儿留着干吗？"

"你去吗？"方方抽了口烟，碰了另一个姑娘的"幺鸡"，问我。

"不去，听哪门子音乐会呀。待会儿，你替我跑一趟，跟她说我不能去，有事。"

"你叫我去，我可不客气了。"

"随便，你能勾搭上她，我谢你了。"

"要不，我去吧。"亚红冲另一个姑娘挤了下眼，笑着说。

"别起哄，起什么哄呀。"

方方"和了"，我们推了牌，坐着说了会儿话。方方看看表："你跟她约的几点？"

我也看看表："现在就可以去了，知道哪儿吧，海淀影剧院。"

"车钥匙。"

我把车钥匙扔给方方："你可快去快回，别误了晚上的事。"

"这种人。"方方接了车钥匙，站起来说，"放心，我不戗你。"

"我才无所谓呢。"我笑着说，"你也没戏，她现在正是刀枪不入的时候。"

方方走后，我和亚红她们下楼到街角小饭馆吃了点烧麦，又回到家里看电视。今晚有场亚洲杯足球赛的中国队比赛实况。皮球在绿茵茵的草地上滚来滚去，双方球员在屏幕上争抢，我靠着亚红斜眼看着电视。中国队一个著名中锋在中场拔脚怒射，球飞向观众台，"臭大粪。"我们齐声骂。

方方走进来："谁臭了？"

"你回来了，这么快。"我坐直身子。

"她也来了，非要跟我来。"

我向门口看去，一个黑黝黝的人影迟疑地往前走了两步，在电视屏幕的荧光下，吴迪的脸雪青。亚红也回头看了看，站起来："坐这儿吧。"

"谢谢。"吴迪冲亚红笑笑，亚红冷眼打量她。吴迪在我身旁坐下，一声不吭。

"我不是让方方告诉你我有事嘛。"

"他跟我说了。"

"我一会儿就得走。"

"我也一会儿走。"

我们不说话了，继续看电视。中国队大门被对方一脚射穿，看台上的外国观众立刻跳起来；五颜六色、旗帜挥舞的观众席像波涛一样涌动，欢呼震天；中国队门将从草地上沮丧地爬起。

"妈的，"我骂，"一群废物。"

"哎，我们得走了。"亚红叫起那个看得津津有味的姑娘跟我说。

"好，一会儿见。"

方方开门送她们出去，回来坐在吴迪旁边和她说话。我只顾闷头看电视，不理睬吴迪。中国队拼死拼活终于在终场前攻进一球，把比赛扳成平局。比赛完了，方方关了电视，我的心情也好了一点，对吴迪说：

"你该走了，过会儿没末班车了。"

"我们宿舍一个人的妹妹来了，今晚睡在我床上。"

"我这儿也没地方。"我不高兴地对她说，"晚上她们还要回来。"

"我不在你这儿住。"吴迪把脸扭到一旁，盯着书架上一只造型活泼的熊猫。

"我不是撵你……"

电话铃响了，方方伸手去接，嗯哼了几声，放下电话，对我说："该走了。"

"我得走了。"

吴迪拿起她的包，站起来，我望着她。她看我一眼："走啊。"

我站起来，穿上西服外套，我们三个走出门，下了楼。街上已经人车稀少，很安静了，楼区大部分窗户也熄了灯。方方去发动车，我跟吴迪说：

"明天我给你打电话。"

"不打也可以。"

方方把车开过来，停在我面前。

"你去哪儿？"我问吴迪。

“反正我有地方去。”

“要不，”我哦吟片刻，觉得实在对她太恶劣了，“你就在这儿住吧，我一会儿就回来。”

“不用！”

“送你一段？”

“不用！”

吴迪向灯火通明的街上走去，我注视着她的背影，方方催我，我拉开车门坐进去。汽车追上她、超过她开走了。

“燕都”饭店的大厅很冷清，今天没有夜航班机。酒吧里正在播着最后一支曲子，喝酒消遣的外国客人已陆续散去，侍者在收拾桌子。一个经理模样的人在总服务台和卫宁交代着什么，卫宁看到我们进来，就分了神。

“等会儿上去，卫宁好像有什么话要对咱们说。”

我和方方坐在门厅能看到总服务台的沙发圈里。抽完一支烟，经理还没走，卫宁的样子已经很焦灼了，又不能跟我们明白地示意。这时，两个男人从降下来的电梯间出来，经过沙发圈时看了我们一眼，我吓了一跳，这两个人是饭店保卫科的干部。

“坏了。”我小声对方方说，“今晚要出事，咱们得马上走。你去给亚红她们打电话，叫她们也赶快出来。”

“好。”方方站起身去酒吧打电话。

两个保卫科干部走到总服务台同经理小声说了些什么，总服务台的人都转脸看我。与此同时，我听见由远及近的警笛声。两辆警车闪着灯驶到饭店门口停下，关了警笛，跳下七八名警察。他们逐个通过转门，进了门厅，保卫科的干部迎上去，和为首的警官握了握手，一个保卫干部领着警察去乘电梯上楼。方方打完电话回来，问我：

“走不走？”

“现在不能走。”我看着那个留下来的，不时用眼睛瞟着我们的保卫干部，轻声说。

一会儿，电梯间开了，亚红她们被警察带出来了，还有几个不认识的姑娘。亚红走过我们身旁没看我们，径直上了警车。上楼去的那个保卫干部和留下来的这个嘀咕了几句，留下来的这个向酒吧走去。一会儿，领着一个女招待出来，指点我们，女招待点点头。他走过来问我们：

“你们刚才往楼上房间打电话了？”

“没有。”我说，问方方，“你打了吗？”

“没有。”方方看着那个保卫干部说，“我给市里的一个出租车站打过电话要车，你们饭店的车都出去了。”

“你听见他电话里说什么了吗？”保卫干部问女招待。

“没有。”女招待摇摇头，“就看见他打了个电话。”

另一个保卫干部和那位警官远远地看着我们。这个保卫干部又问：

“你们是在这儿等出租车？”

“是的，怎么啦？”我反问他。

“没什么。”

他挥手叫女招待回去，自己也走回总服务台。那个警官叫上他的部下，一齐走出饭店。警车发动驶走，警笛声在街上响起。

我们又坐了会儿，站起来走到总服务台问仍站在那儿的保卫干部和经理：“你们的车有回来的没有？”

“没有。”一个保卫干部冷冷地说。

我和方方走出饭店，在门口站着，他们隔着玻璃墙看我俩。一辆出租车从街上驶过，我和方方叫着追出去，出租车靠路边停下，司机打开灯问：“去哪儿？”

“哪儿也不去，看错车了。”

司机骂了一句，关了灯，呼地把车开走。我和方方走到停自己车的地方，摸黑坐进去，也很快开走了。

“你说，亚红会不会把咱们抵出去？”路灯一盏盏闪过，方方问我。

“我想不会，那样对她没好处。这种事弄好了也就拘留几天，弄不好，也不过劳教两年，要是加上团伙敲诈罪，那就是十年八年的大刑。况且她也不是第一次进去。”

“可警察已经看见咱俩了，他们不会傻到真相信咱们是等出租车的过路人。要是警察诈她——肯定得诈，逮着一个，没破的积案都拿出来诈一遍。”

“我相信这段时间没人报过案。”

“你怎么知道有没有别的笨蛋也在干这号买卖。”

“起码今晚没事。”我把车拐进楼区，停下，“我只担心亚红送了劳教，咱们这挺带劲的买卖就干不下去了。现找别的姑娘，又得费一大通劲。亚红人真不错，合伙干那么长时间，一点娄子没出。”

“吴迪怎么样？我看她不赖，又有味又会外语。”

“她不行。”我们下来锁了车，点上烟往我们住的那栋楼走，“她跟亚红不一样，你让她倒贴她都干，可叫她卖，打死她也不干。”

“没那事，她有什么了不起，身上是不是人肉？”

我们进了楼门，边上楼边说。

“你得了吧，别打她的主意，我已经决定不理她了。”

“你是不是，”方方说：“有点爱上她了？”

“没有。”停了下，我承认，“我挺喜欢她。她一哭，我有点受不了。”

“嘀嘀，就跟你肚子里还长了点良心什么的似的。”

“嘘！”我一把抓住方方，僵立在楼梯上。楼道里没灯，黑漆漆的，我们住的单元门口站着一个人。我第一个念头就是：警察！接着想到：跑！但我们离得是这么近，跑能跑几步？再说，也不可能只来一个警察憋在门口。我真后悔没观察观察就贸然上楼。很快，我又感到怀疑，这个人看到我们并没动，而且好像是个女的。

“谁？”

我强作镇静走上最后几步楼梯，看清了，是吴迪。

“你在这儿干吗？”

“我没地方去。”

尽管我被吓了一跳很恼火，但不是警察，也松了口气，掏钥匙开门，拧亮灯。吴迪进了门，一副受了天大的委屈的样子，往沙发上一坐，包一搁，不笑也不说。方方垂头丧气跟进来，看到吴迪的样儿，倒给逗乐了，冲我挤下眼。我到厨房看有什么吃的，找出两袋方便面和几个鸡蛋。我把方便面撒开一锅煮了，支上平底锅准备煎鸡蛋。

“吴迪吴迪。”我喊她。

她悄没声地进来，站在我身后看锅里渐渐化开的猪油。

“会煎鸡蛋吗？”

“会。”

我把位置让给她，她默默地、麻利地磕了个鸡蛋放进油里，蛋清在热油里鼓起泡，变得雪白。

“煎老点。”

“嗯。”

吃完夜宵，方方去睡觉，吴迪收拾碗盘。

“搁这儿吧，明天再洗。”

吴迪没理我，端着碗盘去厨房。

我上了床，打开台灯，想了会儿亚红。吴迪擦干手进来，坐在一旁。

“到这儿来。”我叫她。

她不说话也不动地方。

“赌什么气，你要在那儿坐一晚上？”

我下床走过去，一把将她抱上床，她紧抱着我，嘤嘤哭起来：“我恨你。”

“你呀，也是鸡屎拌面——假卤（鲁）。我的确有事，你也不是没看见。今晚差点回不来，让狗子兜进去……”我胡乱解释着，解着她的衣扣。

我在床上躺了很久，似乎睡了一觉，看看表还不到三点。吴迪一点动静也没有，可能睡着了，我凑过去看看她，吃了一惊，她在黑暗中大睁着眼睛。

“老流氓。”

“什么？”

“老流氓！”她一字一板地说。

五

亚红被警察逮走后，尽管我估计她不大会牵连到我们，卫宁也来说，那次只不过是饭店保卫部门的一次突然清查，警方只是协助，并不是真发现了什么问题，我们还是采取了些预防措施，停止了活动，分散居住。我住到方方那套房子里。吴迪从那天晚上后，对我有了清醒的认识，但她还是经常来找我。她十分矛盾，加上我无事可做，也不像前些时候那样冷遇她。有时还骗骗她，说我和其他女人早断了来往，使她将信将疑，越发难以自拔。

“我可以不在乎，你过去干过什么我都可以不问不管，只要你从现在起对我好点。”

“挨揍打呼噜——假装不知道。你说你不在乎，现在你是不在乎，将来呢？我可以向任何人公开，就是不能授柄于我的老婆。”

“你打算和我结婚吗？要我当你老婆？你不必忙于答复，我不催你，只要将来有一天就可以，我就等你。能给我点希望吗？”

“你都听什么了？”我不想给她哪怕是一根稻草，“我不会跟你结婚的。不是不跟你结婚，跟谁都不结婚，我根本还没考虑过结婚。”

“……”

“其实，你也是鬼迷心窍，你跟我结婚有什么好？要说结婚，你还是找韩劲那样的老实小伙子结婚好，一定会对你好一辈子的。我可就说不准了，即便现在喜欢你，一旦你老了，十之八九会去另觅新欢。”

“我也知道。”她凄凉地说，“我不是不知道韩劲爱我是一心一意。那天我一个人夜里在街上逛来逛去，伤心得不行时，也想过去找韩劲。”

“为什么没去？”

“他那么好，那么相信我……我不忍让他喝人家的洗脚水。”

“什么？这话也出来了！闹了半天，你新潮来新潮去，骨子里还有这么多封建积垢。白念那么多书了，都尿出去了？”

“这不是封建！”

我们谈话常常这么结束，我讽刺挖苦她一顿，她忍泪生气而去。

不久的一天下午，我在吴迪的学校门口等她时，陈伟玲从校园里出来，要和我谈谈。因为陈伟玲上次给了我一个愚蠢的印象，所以我在这里犯了一个本来不该犯的错误，以为她是受了韩劲之托前来说项。后来吴迪坚决地对我说，韩劲不会这样做，就像她不会这样做一样。我倾向于相信她的说法，这就更使我当时显得傲慢粗俗，低级下流。

“谈什么？是咱们俩的事呢，还是别人的什么事？”我先这样轻薄地问她。

“吴迪的事。”

“噢，吴迪，我认识她，而且不是通过你认识的。”

“的确，”她平淡地说，“我也没有你这样的朋友可以介绍给她。”

“你很清白。”

“直说吧，我认为她认识你后，并没有给她带来好处，她的学习成绩，精神状态都下降、变糟了。”

“你不是她妈妈吧？我猜你现在连她的朋友也不是。”

“是的，”陈伟玲脸上掠过一丝痛楚，“我没什么权利指责你，指责她。我只是想对你提一个请求，一个忠告……”

“请求我不要再纠缠她？忠告我不要再打扰她？我很乐意照办。”我微笑地说，“其实我也曾为此做过努力，问题是她，不是我，是她在纠缠我、打扰我。”

“我知道，是她无力自拔。”陈伟玲沉重地说，“我并不是请求你躲开她，离她远远的。我是来请求你对她好点，要是你真……爱她——起码你也该做做样子。就是你不想理她了，也委婉点，别把她当成个婊子！”

我沉吟片刻，乜斜着眼看看她：“我想，这也是韩劲内心发出的饱含痛苦的请求吧？”

她没说话，实际上是气得说不出话。

“既然你这么赤诚以待，我也无妨肝胆相照。请你转告韩劲，我也觉得我不能给吴迪带来什么益处，给她以‘向上’的力量——用句时髦话说。她最合适的配偶应该是韩劲，这话我也跟她说过。我愿意和韩劲合作，使吴迪弃恶从善，真的，这是肺腑之言。我可以保证，从此不再来找吴迪，不再给她打电话，甚至我可以搬家，使她找不着我，彻底忘掉我，完璧归赵。”

“我过去，”陈伟玲慢慢地、一字一顿地说，“一直认为你是个高级恶棍，文明流氓，倒也讲究个方式，讲究把事情做得尽可能得体。现在我才明白，你其实和街头歪着膀子遛来遛去的‘小晃’没什么太大的高低之分。要说区别，就是那些‘小晃’还有点江湖义气，有点令人钦佩的担事的勇气，而你，整个就是一个大混蛋！卑劣无耻，彻底堕落的坏蛋！过去我总不大信，总认为有些书里描写过分，左了，谢谢你让我长了见识。”

我目瞪口呆，尽管竭力想克制自己，可血液还是一齐涌上来，脸红得近乎紫涨。

“你真是堪称炉火纯青了，脸红得多么及时，恰到好处。练这一手要很长时间吧？一般小无赖可真不行。”

她转身走了。吴迪迎面走来，正要对我笑，没笑出来，害怕地看着我脸问：“你怎么了？”

我冷笑一声，没说话。

她扭脸看远去的陈伟玲：“她跟你说什么？”

“她骂了我一顿，为你。我还没他妈叫人这么侮辱过呢。”

“我去找她，她管得着吗？我早告诉她别管我的事。”

吴迪转身要追陈伟玲，我一把拉住她：“算了算了，我倒不生气，别惹麻烦了。”

“我说，”我们在城里一家饭庄吃晚饭时我问吴迪，“你和韩劲最近怎么样？”

“吹了。”

我叹口气。从饭庄出来，我已经有点醉醺醺，扶着吴迪问：“你觉得我坏吗？”

她搀着我，低头小心翼翼地走路，没回答。

“坏，是坏，的确坏！”我嘲笑吴迪，“你也是，明知山有虎，偏向虎山行。”

夏天晚上看足球赛是一件很够刺激的事。特别是对方是支有点实力的外国球队。十万人往凉风习习的体育场密密麻麻一坐，喝着汽水，吃着雪糕，说喊一齐呐喊，说哄一齐起哄，跺脚吹哨扔瓶子，热闹个不亦乐乎，还冠冕堂皇地爱国。换个地儿，姥姥也不成啊！且不说没处找那十万人跟你同仇敌忾，警察也不会睁一只眼闭一只眼，任你足折腾。那几天，北京来了支欧洲国家的甲级队，我们在工人体育场售票房外打了一夜扑克，买了几张票，方方、我带上吴迪和另一个街上捡来的姑娘一起去看球赛。吴迪是凑热闹，我和方方是真正的球迷，业余场外指导。那天中国队踢得也挺窝囊，我和方方差点喊破嗓子，到底让老外赢了两个球，散场时我心里这个气呀。坐在挨着老外球队进出场口的看台上的球迷袭击了正在退场的外国球队，水果、汽水瓶雨点般地砸下看台，汗涔涔的外国球员抱头鼠窜。我们发疯地怒吼助威，顺势往简直是国耻的中国队员头上扔了一通汽水瓶子，使观众普遍的沮丧、愤怒演变成一场骚乱。穿着白制服的警察蜂拥冲向人群。同闹事的青年人扭打起来。我拉着吴迪的手翻过看台间的栏杆，跑向别的骚乱没有漫延到的看台出口，边跑边回头看着混乱场面哈哈大笑。挤出体育场出口，我的心情已经相当愉快了，和方方、吴迪有说有笑。这时，人群中一个人狠狠撞了我一下，撞得我差点趴下。

“你他妈乱撞什么，瞎了。”我破口骂。

已经过去的一群小伙子哗啦转身围上来：“你骂谁？骂谁？”

“干什么干什么，想打架？”我往后退，身上已经挨了几下。

方方跑过来：“谁想打架？”气势汹汹揪住一个小伙子。

“你们干什么？”吴迪也冲进人圈，猛推逼住我的两个小伙子。

我怕吴迪吃亏，正要拉开她，一眼看见了韩劲，立刻明白了，这帮寻衅的年轻人都是他的同学，忙拽住不问三七二十一就要动手的方方。我知道方方是经常带刀的，这些大学生尽管人多，可能也打过群架，但他们绝不是方方的对手。由于吴迪横在中间，他们也停了下来。

“我不是怕你们，”我说，“但我不想打架，有什么话好说。”

“少废话。”一个小伙子说，“人这么挤，碰了你一下，你小子就出口伤人。”

“甭跟他们废话，”方方手插着裤兜说，“打了再说。居然还有找茬跟咱们打架的，不知道我是谁。”他没看见韩劲。

“别打，方方。”我按住方方的手说，“这是打架的地方吗？打了咱们谁也跑不了。”

我又走到韩劲面前说：“有什么话咱们改天再说，我随叫随到。这地方不合适，你们是学生，在公共场合闹事影响也不好。”

“学生怎么啦！”旁边有人说，“学生急了也不吝秧子。你骂人先道歉。”

“可以，我刚才骂了谁啦？对不起啊。”韩劲阴郁地盯着我，我笑着对他说，“没事，我不在意，我理解你，我并非有意触犯你。

我跟陈伟玲讲了，如果你乐意，我可以完璧归赵。”

事情就在这一瞬间急转直下。韩劲本来没有参加同学们气不忿采取的突发行动，刚才斗殴将要酿成时，还是他拉住了为首分子（这是后来我听说的）。但在此刻，我道了歉，说了那些“入情入理”的话后，其他人冷静下来，他却忽然挥拳打了我。人群忽拉散开，一队警察包围了我们。

“我看到的，是这帮流氓无故打了人家。他们撞了人家，人家还跟他们道了歉。”

“真不像话！一大帮人欺负一个人。”

围观人群中有正义感的人激动地向警官竞相述说。

“是这样吗？”我们全体被带到派出所，一个警官问我，“他们先挑衅打的你？”

“不是，”我说，“我们刚才在球场里就吵了架。”

“为什么吵？”

“因为我们说中国队被进的第二球是守门员犯了臭，不该跑出禁区。他们说是后卫笨蛋，没有及时回防。争着争着就吵起来了。”

“那你挨打是活该。”警官说，“看球你们就好好看吧，瞎起什么哄？往台下扔瓶子了吗？”

“扔了一个。”我说。

“你们扔了吗？”他问那些大学生。

“扔了一个。”

“都扔了一个？好，都罚款。一个瓶子十块钱。”

我们纷纷掏钱交罚款。这时，一个老警官从门外进来，看到我，像是想起什么，问我：

“你叫什么名字？”

"张明。"我慢腾腾地说。

"家住哪儿？"

我也告诉了他，目不转睛地盯着他。

"过去进来过没有？"

"没有，我一向规矩。"

"规矩？"老警官哼了一声，背着手往门外走。走到门口，他一下停住了，看见了正嘟嘟囔囔交罚款的方方。他冷不丁转身又看了一遍我，眼睛亮了一下，旋即眯缝起来，我知道他认出了我，他就是在"燕都"抓走亚红的那个警官。

六

第二天早晨，我们从派出所放出来。我做的姿态还是起了一定作用，吴迪当着她的同学们面，公然挽着我一起走了。那个警官的问话使我知道亚红没有暴露我们。由于我把真实地址告诉了他，为了在可能接踵而来的调查中不至引起怀疑，我回了家。

吴迪对我很温存，做了点吃的，安排我睡下，用"麝香风湿油"为我涂抹身上的几处淤肿。我对她也很好，一方面是感激她在危急关头毫不犹豫地站在我一边，另一方面是受到粗暴对待后感受到了屈辱而产生的悲天悯人以及对社会公正的渴望并短暂地愿意以身作则。那些天，我们相处得很友爱，很和睦，很亲密。我认识到了，我对韩劲那种殷勤的愚蠢，他对我失去冷静的一击，也使吴迪彻底和他离心离德。暑期考试临近了，吴迪天天带着功课到我这儿来温习，很多时候就住在我家。我也开始看"函大"寄来的法律教材，认真完成作业。

从派出所回来的第二天，管片民警就由居民委员会的积极分子领着来了一趟我家。名义是办理居民身份证事宜，实际是来明察暗访，我心里明白，外表不动声色。我这套房子是父母去世后，父亲机关给调的一套较小的房子，虽然在公共住宅区，但属于机关宿舍。而且这一带是新建住宅小区，派出所和居委会不完善，加上居民年龄平均较轻，老人又多有工作，“小脚侦缉队员”数量不够，尽管也勤勤恳恳地工作、巡逻，终不及老城区街道严密、可怕。我又一贯小心谨慎，自然居委会的老太太们反映不出什么情况，派出所的那位年轻民警我更是连见也没见过。房间已由吴迪整理过了，方方那天也不在，整套公寓俭朴、雅洁，摆了很多法律、文艺书籍。我和吴迪眉目清秀，良民打扮，彬彬有礼。这一切都无法不给民警以好印象。他和和气气同我们聊了会儿，喝了吴迪沏的绿茶，得知我是个身患疾病，仍不断进取的“有志青年”（我正在函授学习法律课程给了他尤其深刻的印象）。吴迪是我的女朋友，一个前途无量、忠于爱情的大学生。我们靠微薄的收入和父母的一点遗产生活，相亲相爱，默默无闻。民警很有些感动、钦佩了，这简直是新时代的一曲凯歌，够上小报的了。最后，我们成了好朋友。当然他们还要去我的单位调查，去吧，我在那个单位就没上过几天班，很多人根本不认识我。领导也只知道我有慢性肝炎，长期休养，再过一个月，就该吃劳保了。一切都无懈可击。只是他们临走时，居委会的老太太突然问：

“老停在街角的那辆小轿车是你的吗？”

“不……噢，是我的。”我很快镇静下来，否认是无济于事的，他们可以很快查到车牌照的主人。一辆汽车倒也说明不了什么问题，我小心翼翼地补充回答：“那是我前年从大红门旧车场买的。”

“多少钱？”民警仅仅是对一辆私车卖多少钱感兴趣。

“四千。”

“不贵呀。”

“是啊，现在可没这么便宜了，大摩托都三千多，我捡了个便宜，但也把我爸爸留下的那点钱折腾得差不多了。”

民警笑笑，没再说什么就走了，我很热情地邀他“有空来玩”。

“会出事吗？”管片民警走后，吴迪忧虑地问我。

“出什么事？没事。”我坐下来继续看法国人勒内·弗洛里奥著的《错案》。

“别干了，好吗？”吴迪请求我。

“不干什么？”我抬头看着吴迪，装糊涂。

“我收拾房间，看见了那些军装、警服和证件。”

“打算告发我吗？”

“不，只是希望你今后别干了。你要缺钱，我给你。”

“我不缺钱。”

“那为什么？”吴迪嚷起来。

“逗逗闷子呗，要不干吗？”

“可这太危险了，早晚有一天会被人抓住，犯法的人干到最后没有逃脱的。”

“那是你的错觉。抓住了，大家都知道了，天网恢恢，恶有恶报。没抓住的人谁也不知道他干过什么，以为他一辈子奉公守法。只要干得小心点，艺术点。”

“亚红不是已经被逮了吗？”

“你怎么知道？”我霍然变色。

“你那些事，我没不知道的。”

我点起一支烟，没有说话。我实在是太粗心大意了，本来只想让她泛泛知道我坏，现在倒好，她连具体事情都掌握了。我最近怎么搞的？接二连三犯错误，过去我总是很有分寸的。看来，我们的关系不能这么暧昧地拖下去了。

“好吧，我听你的，往后不干了。”我先稳住她。

“真的？”吴迪笑逐颜开，搂着我脖子。

“真的。”我亲亲她。

“就是，干吗要干违法的事，你什么事不能干？又不笨。”

“也不聪明。”我含笑说。

“我们唱歌好吗？”我们缠绵了一会儿，吴迪松开我，拿来自己的单放机，戴上耳机，笑嘻嘻地说，“我特爱戴着耳机跟着磁带里的歌这么唱，自我感觉特好。”

“不学习了？”

“玩会儿再学。”

“好吧，”我痛快地答应，“干脆我们俩录盘个人演唱会吧。刚有录音机时我常录自己的歌，那会儿我以为自己也能当歌星，好久没这么玩了。”

“找磁带找磁带。”吴迪听着耳机里的歌边哼边说，十分兴奋。

我在磁带上找了找，没有空白带，就拿一盘已经不太听的音乐带放进桌上的大录音机里：“开录啦？”

“你坐好你坐好。”吴迪连笑带说，煞有介事，迫不及待。

方方进来时，我和吴迪笑得前仰后合。

“什么事，笑成这样。”方方找了杯水喝。

“我们录了盘个人演唱会，给你听听。”

“谁？你，你们俩？饶了我吧。”

“听听，挺地道的。”

吴迪把磁带倒回来，按下键子，磁带开始转动，我们笑着注视方方的反应。

一阵节奏铿锵的老式爵士乐响过后，我的声音：“现在由著名的吴迪小姐为大家演唱，吴小姐是从埃塞俄比亚回国，她在非洲很受人民爱戴，曾荣获海尔·塞拉西勋章……唱啊！”

“我……”吴迪的声音颤抖着出来，“我第一次遇见你，你放风筝在蓝天……”

我的声音仍在里面混杂着：“吴小姐很激动，她第一次回到祖国，回来的蝙蝠。”

“线儿依旧攥手里……”吴迪笑得唱不下去，“我不会唱这首歌，不会词儿……”

“我唱，下面由青山他哥蓝天演唱：最大的人民币是十块的，最小的人民币是一分的……不管是最大的还是最小的，都是我们人民群众最热爱的。”

我的声音走调走得一塌糊涂，吴迪在录音机里笑得上气不接下气。

“长得跟人民币似的。”方方瞅着我说。

“谢谢。”我模仿广东话的声音，“多谢各位。”吴迪笑声未停又格格笑起来。

“真寒碜，”方方笑着说，“快把这附近的公猫全招来了。”

“他不懂艺术，别理他。”吴迪笑着跟我说，看方方。

录音机还在转，叮哐的爵士乐奏着。

“我找你是跟你说件事。”方方说，“我们那儿的片警找我了。”

我伸手啪地关了录音机：“你怎么应付的？”

“装傻呗。没事，那片警是我哥哥的同学，就跟我说了说，以后注意点，别惹事。”

“我们这儿的片警也来过，我给他糊弄走了。吴迪装蒜也够会装的，吴迪。”我笑着转脸找她，“你干吗哪？”

“没事。”她把那盘磁带从录音机里取出来，冲我笑笑。

七

亚红回来了。

我刚刚送走吴迪，她放暑假回南方探家。

“我不在,你好好的啊。”在嘈杂鼎沸的列车站台上,她叮嘱我。

“嗯，好好的。”我笑着说。方方笑着退开几步，以示没听。

“别去胡来，老老实实等着我，要不我就不嫁给你了。”

“——你别当着人这样，我们不能在大庭广众之下接吻呀。”

“那我不上车。”吴迪紧紧攥住我的手，越靠越近，踮脚仰脸。

我满面通红地后躲，左右张望：“别别，五讲四美。”

发车铃响了，列车员摘下车厢号牌上车。吴迪悻悻地松开手，紧跑两步上车，旋即，站在列车员身后笑吟吟望着我。我退后几步，和方方并排站在一起。

车头给了信号，列车员砰地关上车门，吴迪的脸贴上玻璃。列车晃了一下，开动起来，我和方方冲吴迪挥手，她的小手也五指张开地举起来。列车像弹奏的手风琴一节节叠并在一起，又一一展开在远方。

“她对你可真是情意绵绵呀。”方方说。

“你说，我跟她结婚怎么样？”我将目光从远去的列车收回。

“当然可以，她很不错。我们走吧。”

我们走下地下通道，边走边说。

“你当真想结婚了？”

“说着玩呢，你见我什么时候认真过。”

“你不是挺喜欢她？”

“这不假，我的确喜欢她。”

“亚红！”

我们回到家拧开门，亚红笑着站起来。

“你出来啦！”

我和方方又惊又喜，把刚才的一切全抛到九霄云外。

“老天，他们没拷打你吧？跟我们说说，你是怎么坚贞不屈的，是不是像共产党员在敌人面前那样？”

约莫一个月后，早晨，我正在睡觉，被一阵激烈的对话吵醒。朦胧中听到方方在劝阻什么人：

“他不在，我跟你说他昨晚出去了没回来。”

“那你叫我进去看看呀。”这是吴迪的声音，我一下全醒了。大概方方已经阻拦了她半天，她的声音又尖又恼火：“我看看不行吗？他在不在，你得让我看看。”

糟糕，我想。昨天下午我接到了吴迪的电报，说今天早车回来，让我去车站接她。我因晚上去一家饭店“干活”，给忘了。

“里边有别人。”

“我不信！里边准是他，你放开我。”

吴迪的声音已高到足以引起邻居注意了。我在屋喊了声：“方方，让她进来。”

门“哐”地推开了，吴迪闯进来，穿着短裤的方方无可奈何地站在门口。亚红也醒了，下意识地往身上拉拉毛巾被，懵懂迷糊地问：“怎么啦？”

我问吴迪：“有事吗？”

她直瞪瞪地呆视着亚红。

我赤膊下了床，点上一支烟走过去：“噢，我忘了去接你，对不起啊——咱们到那间屋子去吧。”

她猛地甩开我扶着她肩膀的手，嫌恶恐惧地后退两步。

“我不是已经道歉了嘛。”

方方忙插进我们俩中间，对吴迪说：“算了算了，我不是告诉你别进去。你回去吧。”他把我推进屋，关上门。

“你想和我睡觉吗？方方？走，我跟你睡去。”

我一下拉开门，吴迪扒着方方魁梧的身子，浑身哆嗦地往另一间屋里拖：“走，走啊。”

“你冷静点，冷静点。”方方说。

“你要想用这个报复我，只能毁了你自己，我根本不在乎。”

“嗷——”吴迪像母狼一样龇牙冲我狂啸一声。

“你他妈给我滚回去。”方方冲我怒吼，拼命抱住吴迪。

我回到屋里，门外传来一阵扭打声，玻璃器皿、瓷器噼里啪啦纷纷摔在地上，吴迪歇斯底里地喊：“我宰了他，我宰了他这个狗娘养的，我非宰了他！”她被方方抱进另一间屋子，门砰地关上，喊叫声微弱了。

我转过身冲亚红笑笑，亚红满脸怒容，边穿衣服边说：“你他妈真不是东西！我早说过，别把我掺和进你那些臭事。好了，这下她要连我一起恨了。”

我把嘴上的烟吐到地上，一脚踢飞了地上的一只皮鞋。

“你少给我看脸色。”亚红扣好裙子，从皮包里摸出支口红往唇上抹了抹，抿匀，关上皮包往外走，“我可不尿你那一壶。”

亚红走了，公寓里变得十分安静。过了很长时间，门推开了，方方进来，吴迪垂着头跟在后面。

“她想跟你谈谈。”方方说。

我点点头，站起来。吴迪走进屋坐在一张椅上，方方关上门出去。沉默了片刻，我开了瓶可乐，倒进杯里，放在她手旁，泡沫滋滋地迸碎、漾化。她开始掉泪，一滴接一滴，又大又沉，我递她一条手帕，手帕很快湿透了。

“伤心了？”

她捂着眼睛点点头。

“以后还跟我好吗？”

她拼命摇头。

“这么说，结束了？”

她点着头，哭出了声。

“这样也好，我这个人本来不配你，不值得你这么哭。”

“你说，你是不是从一开始就在骗我？”

“是的，我一开始就是骗你，就是有目的地勾引你。”

“那么，你过去说过的爱我的话全是假的？”

“……”

“你说，是不是全是假的？”

“是——是又怎么样？你难过了？不是你想象的那个可爱、纯洁的故事，不是你想象的那个可爱纯洁的人，我告诉你，本来无一物。不要意气用事，你这样报复不了谁，只会毁了自己。”

“我完了。”

“别这么认真，想开点。现在刻骨铭心的惨痛，过个几十年回头看看，你就会觉得无足轻重。”我笑了，“你还年轻，依旧漂亮。”

吴迪抓起杯子扔了过来，重重砸在我脸上。

八

我自认是个超脱的人，在长期危险动荡的生活中，在与形形色色、三教九流人物交往中，养成了见怪不怪、处变不惊的沉着性格，因而屡屡化险为夷，转危为安。同期下水的朋友们已先后纷纷落网，我却始终逍遥法外。可这一次，我有点沉不住气了，当秋天的一个晚上我再次遇到吴迪，我终于失去了冷静。

本来我觉得我已经基本忘掉了吴迪，并克服了由于内疚带来的烦恼产生的想去找她的阵阵冲动。亚红和方方也不再对我脸上的青肿冷嘲热讽。那天晚上，我和方方穿着警服闯进一家饭店十层的一个套间时，惊愕地发现，那一对如火如荼的男女中有一个竟是吴迪。她推开那个臃肿的商人，赤裸裸地坐起来，抱膝看着我。我不能说她那副表情有点“洋洋得意”，但肯定毫不慌张或者“感到难堪”，准确地说，“挺友好”。我什么也没说，头脑昏了。那个肥胖的商人提抗议时，我殴打了他，无情地、置其于死地地殴打了他。接着一个人冲出了房间。我在“白茹”车里不开灯坐着，过了会儿，方方匆匆赶来，坐进车里，正要发动汽车开走，我用刀顶住了他。

“这事是你干的？”

他的手扶着方向盘没动，转过脸面无表情地说：“不是，我跟你一样，不喜欢刚才的场面。”

“那是谁？”我咆哮起来，“谁把她卷进这种肮脏的勾当？”

“不知道。”

“去找亚红。”

“据我所知，不是亚红干的。”

“那去找卫宁。”我咬牙切齿地说。

方方踩动油门，小汽车刮风般地驶向卫宁家。

“谁呀？”卫宁在门里问。

“我。”

卫宁打开门："你们怎么来了？"他脸上带着笑容。

"你出来一下，有话跟你说。"

"什么话？进来说吧。"他发觉苗头不对，想往屋里退，我和方方两柄匕首夹住了他。

吴迪从屋里出来，见状护住卫宁："干什么你们，有话跟我说。"

"没你的事。"

"你回去吧。"卫宁说，"没事，我跟他们说说。"

"告诉你，"吴迪对我说，"这事跟卫宁一点关系也没有。"

"你回去吧。"卫宁推开她，跟我们下了楼。在一个僻静的角落，卫宁说：

"是她来找我的，说她缺钱，想挣点省事的钱。她说她跟你没有关系了，一点也没有了，所以我才答应帮她牵线。要说出了什么误会，不能怪我，她是那么说的。"

我的手无力地垂下，方方也收起了刀。

"怎么，你们还没断？"

"她干多久了？"

"已经一个多月了。今天晚上她让我把她的房间号告诉你，说跟你开个玩笑。"

"你也跟她睡了吧？"

"睡过。"卫宁说，"她这段时间一直在我这儿住。怎么啦？"

"没怎么，对不起，卫宁。别生气。"

"没事，上去一块儿坐坐吧。"

"不啦，我们走了。"

"对不起，卫宁。"方方也和卫宁握握手。

"你要是不愿意让她干，我可以不再安排她。"

"算了，她乐意干就让她干吧，别管她。"

开车回家的路上，我开口笑着对方方说："我真成感情冲动的傻瓜了，真窝头翻个儿。"

方方看看我，没说话。

我吹口哨，吹得不成调。

"臭流氓，你怎么不出牌？这流氓，也不知又想什么呢，又在街上看见什么迷人的小姑娘了？"

吴迪披散着头发，描着蓝色的眼影，搽着厚厚的口红，叼着一支香烟，把骨牌出得啪啪响。她现在已公开和我们搞在一起，晚上去各大饭店拉客，白天和我们整日鬼混，谁想和她睡觉她都笑吟吟地躺到人家怀里，放荡、淫乱比亚红她们有过之无不及。对我却日趋刻薄，从不叫我的名字，一口一个"流氓""松货"。当着众人面对其他姑娘说：

"这松货没劲透了，我可知道，蔫得还不如七十岁的老头子，跟他睡觉简直活受罪。我怀疑他有病。"

"你甭理她。"方方私下劝我，"这姑娘已经完了，不要脸了你能怎么办。"

"我没事。"我笑着对他说，"我才无所谓呢。"

我真是从不跟吴迪致气，她爱说什么说什么，爱怎么踩乎我踩乎我，我不吭气，或者跟着笑笑。只是晚上到大饭店"干活"时，我开始揍那些嫖客，有几次方方不得不拉住我，使我别把人打坏。我也抛弃了一贯小心谨慎的做法，经常喝得醉醺醺地穿着警服在饭店里瞎转，惹人注目地调戏女招待，言语冲撞饭店工作人员，甚至向外国游客挑衅。后来，吴迪更加放肆大胆，大白天也到饭店拉客，在餐厅和外国人一起吃饭喝酒打闹。一晚上和好几个客人同时睡，这房间出，那房间进。乘挂外交牌照的汽车兜风，在外交公寓一住就是几天。方方不得不严重警告我，必须立即和吴迪脱钩，不许她再来我们这里，她已经在屁股后面招来了几十个侦探。我们也得停止活动，各大饭店的警卫已经开始注意我们了。我对方方的警告置若罔闻。

一天晚上，我没出去，方方和亚红不在，卫宁又把吴迪领来了，还带了两瓶外国酒。吴迪这段时间很少来，她显得既疲惫又憔悴，妆化得乱七八糟。我们把酒喝了，没说几句话，她就和卫宁到另一间屋子睡觉去了。半夜，我突然被吓醒，一个人紧紧抱着我，低低地啜泣。是吴迪，她什么也没穿，大概是赤脚偷偷溜进来的。

“你怎么啦？”

我扳着她脸问。她什么也不说，只是把脸深深地埋下去，紧紧拥抱我，哀恸地抽泣。

“出了什么事？告诉我，我能帮你什么？”

她只是哭，伤心痛苦地哭，难以自抑地哭，哭了很长时间，泪水湿遍了我的胸膛。不知过了多长时间，卫宁在另一间屋里叫：

“吴迪，吴迪，过来。”

我搂住她，她推开我，下了床，拿枕巾擦干了脸上的泪，鼻子堵塞地说：“让我再好好看看你。”

她拧亮台灯，俯脸凝视我。她用手轻轻擦去我脸上的泪水，仔细地把我看了又看，凄楚一笑，关灭台灯。屋里又陷入一片黑暗，她走了。那最后一闪而逝的是张什么脸哟！那样姣好、美丽，又充满深深的绝望和惨淡。那天晚上，我们都感到了巨大危险的迫近和前所未有的恐惧。

第二天晚上，我和方方从“丽华”饭店的一个房间刚出来，看到服务台前站着几个警察和饭店保卫人员。跑是没处跑了，我们只好硬着头皮迎着他们走过去。他们注视我们，我们注视他们。

“等等。”我见过两次的那个警官从背后叫住我们。我慢慢转过身去，方方悄悄按亮电梯呼唤板。一个年轻的警察飞快地向我们刚出来的那个房间跑去。警官走上前来：“你们先别走。”

“有事吗？”

“有事。”他冷冷地点点头，眼珠在我们脸上转来转去，“我们见过。”

那个年轻警察跑回来向警官报告：“房客说，刚罚走五千元。”

电梯降下来打开门，一群客人拥出。方方一拳打倒警官，转身跑进电梯，其他警察冲过来，按住电梯呼唤板，使电梯不能开走，用电警棍击倒方方，铐上他。我也被两个警察死死扭住胳膊戴铐，疼得脸都抽搐了。警官从地上爬起来，整整警帽，不动声色地说：

“把他们带走。”

饭店大门厅里的客人和工作人员纷纷站住看我们。四个魁梧的警察分别夹着我和方方，从嗡嗡议论的人群中穿过。警车灯在门外闪转着，街上也围得人山人海地看热闹。我被推上警车，车里的一个警察踢了我膝盖一脚，喝令我低头蹲着。方方跟着被搡进来，蹲在我身后。又过了会儿，亚红和别的姑娘也被塞进来，车门关上，警车拉着警笛开走。

当天夜里，卫宁也在“燕都”被捕。我们分别被关在市局看守所的牢房，根本见不着面，只是在预审时看到预审员出示他们的口供，提到他们的名字。我知道这次不是偶然的兜抄行动，而是作为重大案件立案后，经过周密侦查进行的有步骤的破获，警方已经掌握了大量证据。我对所犯犯罪事实均供认不讳。两个月后，我被正式逮捕，案件移交人民检察院。又过了一个月，检察院向人民法院提起公诉。我和方方作为犯罪集团主犯被控犯有敲诈勒索公私财物罪；以营利为目的，引诱、容留妇女卖淫罪；冒充国家工作人员招摇撞骗罪，数罪并罚，各判处有期徒刑十五年，剥夺政治权利五年，并处没收全部个人所有财产。卫宁和亚红作为犯罪集团从犯被控犯有敲诈勒索公私财物罪；以营利为目的引诱、容留妇女卖淫罪，分别处以十年和七年有期徒刑，剥夺政治权利五年，没收全部个人所有财产。

在预审和起诉乃至最后判决的过程中，我始终没有听到吴迪的消息，似乎她不在我们一案中。我真有点纳闷，从警方掌握的大量证据和同案人的口供（包括我自己）看，她决无脱逃可能，我不懂警察为什么有意疏忽这一重要线索。后来到了劳改农场，遇到卫宁，才知道，警察没有抓到吴迪，晚了一步。那天我们走后，她反锁在屋里，用刀片切开了自己手腕的动脉血管，血流了一地，没有遗书。

下　篇

一

我在劳改农场种了两年葡萄，成了劳动能手。第二年底得了重症肝炎。起初感到乏力、食欲不振，试表有点低热，没介意，以为是一般流感，抗抗就过去了。可一天早晨起来，变成黄蜡样，接着出现谵妄、狂躁等精神失常症状。管教干部立即将我送往公安医院，路上，我就昏迷了。医院的大夫给我静脉滴注了大量肾上腺皮质激素和强的松，制止了病情恶化。但由于我过去长期生活不规律，酗酒，肝功能损害严重，在治疗时又并发了严重的胃肠炎，病程迁延，转变为慢性肝炎。

我在医院住了半年，除了个别单项指数居高不下，一切阳性体征都慢慢消逝。考虑到我愈后不良，监狱农场条件也不适于隔离休养，继续劳改有可能再复发感染，导致生命危险。原审法院改判我监外执行，保外就医。狱方为我联系附亲居住。我已无直系亲属，几门远亲确实勉强。狱方征求我个人意见，我黯然说不要麻烦了，自己回家去住。入狱后，我父亲原单位还算不错，没有收回那套小单元，属我父母生前购置，不在没收之列的一些家具什物还封存在内。我在农场存下了一小笔钱，另外银行中我母亲名下尚有一小笔刚解除冻结的存款，这样，暂时我的生活还不成问题。

我到家的头几天，心情还算好，休息得也不错，想吃就吃，想睡就睡，有点自由的感觉。屋里的奢侈品悉数入官了，桌椅床柜还齐全，只是屋子长期没人住，十分阴潮，好在天气也渐渐热了，每天可以开窗通气。我终日一个人在家，亲戚自然是没人了，朋友也别提了，唯一有时来看看我的，是那个年轻的管片民警。他倒是个好心眼的人，拿我也当半个朋友看，有时，我们还聊聊天，他要不怕传染，也抽两支我的烟。

“当年，我真叫你给蒙了。”他高兴了，也无话不谈，“你那孙子装得可够匀实的。”

“那会儿是装的，这会儿可是真闹个肝炎。”

“肝炎没事，好好养能好。你也是瞎他妈折腾，怎么搂不着钱，憋那份坏，媳妇也没了。你媳妇的事你知道了吧？”

“我媳妇？”

“就是跟你合伙蒙我的那个女的。真媳妇假媳妇我也不知道，叫吴什么来着？”

“……你当时在场？”

“我领着市局的人来的。明听见屋里有人嘻嘻哈哈说话，门锁着，叫不开。踹开锁进去，窗帘拉着，人就躺在这张床上，胳膊耷拉在床沿，手腕切的口子肉翻得像小孩嘴唇，脸扭向一边，似乎自己都不敢看。血已经流尽了，遍地殷红，走不进人，你想想，几千 CC 血喷出来是什么劲头。她是学生吧？”

我点头。

“可惜。市局人说，其实她不死没事。她是你们裹进去的，顶多劳教两年，辩好了，当庭释放也没准。想不开，害怕，岁数太小，挺好的小妞就这么完了。”

我没说话，递给片警一支烟。抽了会儿烟，我问：“你说当时屋里有人嘻嘻哈哈说话？”

“没人，她开着录音机，录音带上有人说话。这是障眼法，她考虑得还挺周全，看来是下了决心，这样的人救也救不活。”

“录音带，那录音带没收了吗？”

“好像没有，那是她的东西。本来她父亲来时，我叫他上这儿把闺女的东西认认，老头怕伤心，死活不来。也许还扔在这屋里哪个旮旯，那种老式的 TDK 带子，红盒，上面有颗黑白相间的多棱宝石。你干吗？”

“随便问问。”

“你们俩是不是真好过那么一段？”片警问。

“没有。”

“噢，”他颔首吸烟，“算了，甭说这事了，过去就完了。”

我们又聊了会儿，天色已晚，片警起身告辞。我送他到门口，他突然停住脚对我没头没脑地说了句：

“她死后脸上泪水还没干呢！”

门哐地关上了，我单独隔绝在这几间阴潮昏暗、悄无声息的屋子内。我走进卧室，看看那张凌乱、空荡荡的床。房间内灯泡被窗外的风吹得摇曳，人影黑黢黢地放大在墙上，像是一个面目模糊、形体虚幻却紧紧相随的灵怪。我开始翻箱倒柜，直到不抱希望后，蓦地发现那盘印着颗宝石的录音带就在桌上一个显眼的位置。我把录音带放进我的小收录机，按下去，一阵节奏铿锵的老式爵士乐响过后，出现了对话：

“现在由著名的吴迪小姐为大家演唱，吴小姐是从埃塞俄比亚回国，她在非洲很受人民爱戴……

“我……我第一次见到你，你放风筝在蓝天。

“吴小姐很激动……”

我蹲在楼角黑暗处，看到片警晃晃悠悠骑个车过来。他看见黑糊糊的一团，骗腿下车，犹疑地走过来，走到跟前，认清了我，大声说：“你在这儿干吗？这么晚了，想劫道呀？”

“你干吗去？回所还是回家？”我问他。

“回所，今晚我值班。”

“到我那儿去待会儿。”

“出了什么事了？”他看我脸色。

“没事，想找个人聊聊。”

“嘿，你倒瘾大。那就去待会儿吧。”

我领着片警到了我家，殷殷勤勤地招待他。片警问我：“你怎么不睡那屋床上，倒睡这屋地上？”

“地上宽绰，在圈里睡惯了，再者说，日本人不也全睡地上？”

片警被我逗乐了：“你那会儿睡地上跟日本人是一个意思吗？”

我笑嘻嘻地跟他说：“我告诉你件事，吴迪自杀，不是怕折，为什么我知道。”

“喊，你又知道了。”

“你们全弄拧了。”

“我这人，宁吃白煮蛋，不听白话蛋。”

“不是白话。她呀，”我神秘地说，“是因为爱我无望。”

“嘿，瞧你那一脸光荣。”片警十分腻味地说，“合着你巴巴儿地把我请来，就为听你这些缺德事？她怎么死的，与我无关，我得值我那班去，你呢，留神她的鬼魂吧。黑更半夜起什么腻呀。”

片警拍屁股要走，我忙拉住他：“等会儿，还没说完呢，我发现我有个特异功能。”

片警停住脚，疑惑地看着我。

“我一放这盘带，”我举着那盘印有宝石的录音带，“就能让时光倒流，打破三维空间，再现两年前的情景，不信你听。”我把录音带放进录音机按响，“你瞧，瞧这堵墙，看透那屋了吧？瞧瞧，吴迪又躺回那床上了吧？侧着脸，手腕上的口子翻得跟小孩嘴唇一样。瞧那一地血，黏稠的、殷红的血，像龙头里汩汩流出来的水……”

片警没去看那堵墙，只是目不转睛地看着我，打断我严厉地问：“你喝酒了？”

我嘿嘿乐。

他一把揪住我：“你怎么喝得烂醉，不要命了！”

“没事，就喝了一点。”我举起一只手指头。

“缸子呢？”片警松开我，转身找水缸子，去厨房接了一缸子水，含了一口。

“你嘴鼓得跟猪尿泡似的。”

“噗”——片警把嘴里的水喷到我脸上。

“好点了吗？”他问。

我点点头，自个儿趴在地铺上。

“你真胡闹，肝有病，还喝酒。怎么啦？”

“帮个忙行吗？”我脸色苍白地说，“让我回监狱。习惯了人挨人睡，一个人……睡不着。”

“这不可能。”

他冷淡地说，关了灯走了。

我知道世界上没有鬼魂，但有噩梦。假若那些身临其境般又极为逼真的梦中场面日复一日地再现、强化，便足以使人大白天也产生带有强烈真实感的幻觉，特别是梦中的环境和气氛与现实中的环境和气氛完全一模一样。譬如是同一间阴暗、昼夜变化不明显的屋子，是真实存在过的一个人和真实存在过的一些事。那么，久而久之，神经再健全的人也没法不渐渐混淆现在的真实和过去的真实。甚至被那种幻觉深深迷住，滋生出根深蒂固的信念，内心明白又无力摆脱。我正是受到了这种蛊惑。几天后，那个年轻的管片民警来到我家，一进门便大吃了一惊，我形容枯槁得不像样子，精神也极为萎靡颓唐。

“你怎么啦？”

“没事。”我竭力克制自己才没说出蠢话，让他看躺在床上的吴迪和一地鲜血。在我看来，他踩了一脚血。

“我看你不能一个人这么待下去了。”他关切地对我说，“也许，你该找个女朋友。如果你不惹乱子，我不会找你麻烦。”

“不，”我疲惫地摇摇头说，“我得这种病就像阉了一样，早绝了那份念头。再说，唾液和精液也是传染途径，不能害人。”

“你一个人，”他迟疑地说，“能行吗？你需要个人照顾。”

“无所谓，我自己能照顾自己。”

“你可别骗我。”他说，“最近西瓜上市，事儿开始多了，我也不能老来看你。有什么事你可都跟我说，能帮的我就帮你。”

“……”

“没事我就走了。”

“别走……”

“到底怎么啦？”他急了，一把抓住我的手腕，“你他妈便秘啦？”

“我害怕。”我一下垮了，“我不能再住这儿了……”

二

南方城市夏天，黄昏仍然闷热，街上车接长龙，人如潮汐。我在一家蒸笼般的小吃店吃了两屉包子，出了一身大汗，走到街上，被风一吹倒挺凉快，便裹在便道上的人流中，慢腾腾地走着，领略着摩肩接踵的逛街乐趣。

我到这个人口密集的南方大城市三天了。这之前，我住了一个月医院，出院后便离开了北京，换房、卖旧家具的事都托给那个好心肠的民警去办。我希望这一圈兜回来，一个没有任何旧痕迹，能让我安安静静生活的新环境在等着我。尽管我并非无辜，没什么要人同情的，可我也没有义务总受那种折磨。

我喜欢这个庞大、拥挤的城市。那些高耸入云的老式巨厦，繁多的放射状的商业街区，瘦小精干的男女市民，唧唧哝哝的方言都使我产生莫名的异域感。使我和我所熟悉的那个城市的生活即便不是一刀切断，也骤然拉长了距离。我成了一个游客，旁观者，游离于千百万人的喜怒哀乐之外。我庆幸听不懂这儿人们的语言，免去交流之苦。别人笑骂奚落，冷言冷语，我一概充耳不闻，怡然自得。夜晚，在黑漆漆的地下室旅馆的一片鼾声中悄悄入睡。

我混迹在人群中，走过一家家橱窗琳琅、光线柔和的商店，什么都浏览，什么都不买。一直走到汽笛声声、轮船如梭的江边码头，在沉沉暮色中登上一艘灯火通明的华丽客轮。这艘客轮夜里将开往东海里一个以“海天佛国”著称的小岛。

我执的是三等舱票、是间二人舱室。我放下手提袋，就到甲板凭栏吸烟。天色已暗，岸上的高楼大厦或尖顶高耸或庞然矗立，在宝蓝色的天幕下形成凸凹厚重的黑色剪影。楼厦下街巷莹白，人似蚁集，稠稠蠕动。甲板上热闹起来，舷旁挤满了旅客。客轮离了码头，在江心掉了头，在黑魆魆的江里缓缓行驶，两岸景致流动。大型龙门吊犹如一具具恐龙骨架蹲踞夜空；堆着整整齐齐集装箱的货船吃水线压得低低；一条接一条靠着码头卸装的散货轮；无声无息交错驶过的长串驳船；远处昏暗的楼群突兀明亮地拔出一幢高厦。客轮开出长江口，城市微缩成一团闪烁的光斑。信号台，灯标。辽阔漆黑的江面上，海洋吹来的风阵阵掠过。最后一个码头是海军舰队驻泊地，一艘艘并排靠着的军舰，低低亮着一溜舷窗，舰面建筑呈金字塔形。再往前就没什么可看的了，滔滔江水，一弯冷月，我返身下了舱。

客轮舱内十分宽敞明亮，豪华的餐厅内，很多旅客在吃着丰盛的晚饭。商品齐全的小卖部出售啤酒和白酒。透过宽大的玻璃门可以看到候机室一样舒适的五等舱里，人们坐在一圈圈软排椅上聊天，打扑克。客轮行驶得很平稳。我沿长廊走回舱室，两个女孩子在舱里等我。

“你住在这舱吗？”

我点点头。

“换一下好吗？我们俩想住在一起。”

我这才发现这样的双人舱室，陌生的青年男女住在一起实在不方便。

“你的舱在哪儿？”我提起扔在床下的手提袋。

“旁边一间。谢谢你。”

我走进旁边一间舱室，一个女孩子在铺床。我退出来，挨间舱室找有无一男一女的。很多一男一女住在一起的，但他们都不肯跟我换，都是新婚夫妇。我只好走回那间舱室。那个女孩子正在水池旁对着镜子擦脸。我拉下墙壁上的弹折椅坐住，感到十分局促。那个女孩子擦完脸、手，又擦脚丫，最后，用水洗净手巾，方方正正晾上。找出盒护扶膏，挖在手心上，搽在脸和脖子上。她双手抚摩着光润的面颊，遇到我的视线，嫣然一笑，我咧咧嘴，低下头。

“你还没领卧具吧？”

我抬头怔一下，“噢”了一声，跑出去。女孩子笑吟吟地望着我。

我挨了久候的服务员一通训，抱着枕头、毛巾被回来。女孩子正在小鸡啄米似的吃瓜子，看双膝上摊开的一本书。见我进来，笑眯眯地问：“吃吗？”

我摇摇头，不由一笑。

“吃吧吃吧。”她抓起一把瓜子塞到我手里。

我不太会嗑瓜子，嗑得皮瓤唾液一塌糊涂。

“瞧我。”女孩示范性地嗑了一个瓜子，洁白的贝齿一闪，我下意识地闭紧自己被烟熏得黑黄的牙齿。

“会了吗？”她睁圆眼睛问。

“没有，我还是抽烟吧。”

我点燃一支烟，站在舷窗旁吸，烟袅袅飘向舷窗口，一出去就立刻刮飞了。海在月色下，银灿灿的波涛起伏，客轮轻快地行驶。

女孩把书翻得窸窣响，看得飞快。

“你看这么快？”

“看不懂呗，就看得快。”

她一笑。

我从未乘过海轮，这是第一次，我也从未见过这个女孩，第一次，可我似乎在波涛上航行了一辈子。我的头有点疼了。那个女孩子合上书，那是本深奥的文艺理论著作。

“船开始晃了。”我说。

“我看看。”女孩灵巧地从弹椅上跳起来，过来扒住舷窗往海面上看。大海横流，犹如一个巨大的、三百六十度转动的年历盘。墨蓝的天空上，暗象牙色的云追逐着月亮，奔涌着，堆积着，变幻莫测，千奇百怪，令人惊心动魄。

“那块云像马克思，那块像海盗，像吗？你说像吗？”

舱里的灯突然灭了，全船的灯都灭了。

“你是学文科的学生？”我问。

“你怎么知道？”黑暗中传来快活好奇的声音。

“很简单，丑姑娘才去学理工。”

“诬蔑！”一个女孩子的哧哧笑声，“我是学英语的。你也是学生？”

灯亮了，全船又是一片通明，我面前站着个陌生女孩。

“你看我像学生吗？我是劳改释放犯……”

“我才不管你是什么呢，你是什么我都无所谓。”

尽管夜航有不准关灯的规定，我们为了睡得好一些，还是把灯关了。门上的方窗透进走廊的灯光，舱里什物依稀可辨。躺在铺上能感觉到船下面浪的走向，但很轻微，不致引起晕眩。女孩子刚躺下还叽叽呱呱说话，得不到我的响应，也无声息了。

夜里，我被冻醒，感到有点不对头，迷迷糊糊一睁眼，登时吓得魂飞魄散。床前背光站着个女人，长头发被舷窗灌进来的强烈海风吹得拂舞，扰乱了脸部的线条，一双近在咫尺的眼睛闪着晶体的荧光。她慢慢地，动作夸张地抬起手捏了捏我的鼻子。

“醒了吗？”

我醒了，也想起身在何时何地，就是一时还说不出话。

“醒了就起来，再晚看不见日出了。”

“你先去吧。”我的嘴唇动了动，大概什么声音也没发出来。

“真懒，不管你了。”女孩说了一声，开门出去了，又伸头进来，找着电灯开关，“啪”地按亮，倾泻而下的灯光中一张姣好、美丽的脸庞一闪而逝。

我从上铺跳下来，被海风吹了半夜的肢体都僵硬了，我拉开手提袋，找了件套头衫穿上。

我走出舱室，来到上甲板，脸上、身上立刻感受到了强劲的风，这是轮船疾驶带来的风。晦暗的海面上浪并不大，无数小浪头在跳跃着，弧长的天际线很清晰。我在伏满人的舷旁找到了同室那个女孩，在她旁边挤了个地方。天边的云已经红了很长一抹，海水天空的颜色都在晨曦中变化，海水变得葱绿，天空变得蛋青色，不知不觉，一切都亮了，可太阳仍未出来。又过了会儿，嫣红的云透明了，飞絮般一片片飘开，霞光迸射出来，无数道又粗又大的七彩光柱通贯青天，呈现出一个硕大无朋、斑斓无比的扇形。这景象持续了很长时间，接着太阳出来了。海天之际乱云飞渡，太阳是从云间出来的，一出来便是耀眼的一轮，迅速上升。

“好看吗，你说？”屏息凝望半天的女孩惘然问。

“都说好看。”我懒懒地说，“我不知被人拖起看过多少次日出。”

女孩看我：“你一点不激动。”

“激动。”

“激动什么啦？你说，每天升起的都是同一个太阳吗？”

“这已经被科学证实了。”

“不对，有 365 个太阳，每天轮流值日。”

“胡扯。”我一笑。

我们向后甲板走去。女孩轻盈地走在前面，喜洋洋的，美滋滋的，摇晃着头发，流眸顾盼，使每个注意到她的人都不由精神一振。餐厅在后甲板摆了些桌椅，供旅客沐着晨风进早餐。女孩掏钱做奋勇状，我笑着拉住她，叫她去占位子，自己转身去餐厅柜台买早餐。餐厅只供应一种雪菜肉丝面，我端着两碗面条放到女孩面前时，觉得真委屈她。她却很高兴，马上用筷子卷着面条吃起来。甲板后面推进器犁开一条白浪翻卷的宽阔航迹，犹如绿色海洋上一条连接大陆的白色大道。蓝白两色的海鸥排密集的翼形，紧紧跟随着破浪疾进的客轮。青天白日，海水明澈，一切都是那么洁净、纤尘不染。我们坐在这干干净净的画面里，同周围衣着鲜艳、容貌俊秀的青年男女一道谈笑风生，就像画中人。

轮船驶进群岛间的狭长海峡，两边出现连绵不断的海岸线，可以看到岛上黛色的山峰，缭绕山腰的白雾；影影绰绰的房屋；桅杆林立的渔港。这些岛都有雄壮的大陆感。再往前，就出现了翡翠般星罗棋布的小岛，浸浮在茫茫海洋中，在阳光下闪着玉的光泽。轮船鸣笛驶近一个郁郁葱葱中隐现着宝刹古寺、楼台亭阁的小岛。

回舱室收拾行李时，我捡起扔在床上的那本厚壳书，翻看扉页。女孩上来夺：

“不许看。”

我闪开她，念了扉页上的字：“‘赠给胡亦’，胡亦？”

女孩笑着拿过书，塞进包里。

三

由于水浅码头小，客轮在港湾里下了锚，旅客分批乘汽艇登陆。码头上有砾石铺的停车场，几辆旅行车往各处风景点运客人。迎面一座不高的山，山上长满低矮的松林。山间一条石板路，一些游客在林间穿行。我看了看导游图，这条路通向岛上香火最盛的普渡寺。

“你怎么走？”胡亦喘吁吁地提着包赶上来，“你打算去哪儿住？”

“我打算到镇里找家旅馆，那儿离海近，旅馆也多。”我指出导游图上小镇的位置给她看。

“那我跟你一起走。”胡亦歪头看了看我手里的导游图，说，“我也到镇里去住。”

我们挤上一辆旅行车，胡亦动作敏捷，帮我占了个位子。旅行车沿着环岛新铺的碎石公路飞驰，年代久远的玄武岩牌坊、干涸海塘内倾斜的渔船、绿油油的西瓜地相继进入视野。旅行车爬上一个山坡，我们俯瞰到海边一湾湾金色的沙滩，蓝色海水卷起的一道道长长的白浪，浓绿的海岬上朱顶飞檐的亭子和小巧的寺院。旅行车风驰电掣冲向海边，倏地一拐，驶进山麓下的小镇。我们在一个山门宏伟、殿堂无数的大寺院前下车，立即被眼前的“佛国”风光吸引。千年古樟覆荫了寺前空地，白石栏围护的大莲英池里荷花粉翠，一座精雕细凿的石拱桥越池街道。道旁横一赭黄色影壁，上书“观自在菩萨”五个大字。古寺朱墙一端接小镇熙攘的旧街，另一端新型旅馆、商场、饭店栉比，游人如云，香客川流。树荫下小贩的瓜果桃李色艳芳香，荷池边摊上的念珠木鱼琳琅悦目。一些兜揽住宿生意的妇女围上来。胡亦和一个妇女交谈几句，兴高采烈地对我说：

“住她家吧，她家便宜，两个人五元钱，一个人二块五。”

“一间屋？”

“当然一间屋了。”那妇女说。

“有没有两间屋？”

“两间屋十块。”

我对胡亦说：“她是包屋，五块钱一间。”

胡亦问那妇女：“包床行吗？”

那妇女摇手。

“脑瓜真死，真不会做生意，”

“别跟她们扯了，我们找旅馆去住。”

我拉走胡亦去旁边一家寺庙改造的国营旅馆登了记。

这家旅馆条件不错，有化纤地毯、彩色电视机和卫生间，价钱比私人家庭旅馆贵一些，但比起内地同等水平的旅馆便宜得令人咋舌。胡亦住在我隔壁，都是双人房间，她的房间有个老太太，我房间就我一个。我放下手提袋，脱了鞋，光着脚在地毯上走，打开电视，电视里正在给放暑假的孩子放动画片，我调了调天线，让电视开着，去卫生间洗澡。打了香皂，喷头没了水，我一筹莫展地站着等水。胡亦进屋叫我的名字，我在卫生间瓮声瓮气地答应。她问我的龙头有没有水，我说没有，叫她去问问服务员。她跑出去，回来后站在屋里对我喊，服务员说每天早中晚供水半小时，下次来水要到晚上。我用毛巾擦去脸上的香皂，穿上短裤走出来，十分气愤。胡亦瞅着我的狼狈样笑。我见她头发脸颊湿漉漉的，问她怎么洗的，她说同房间的老太太接了一浴盆水，她都给用了。

我们下去问服务员海边有多远，服务员说不远，穿过小街就是。我和胡亦穿着拖鞋出了门，穿过寺前，丁字形旧街，上了个小山坡。坡上有一颓败的多宝塔，顺塔前小路下去，便到了两个海湾的交汇处。

我们进了有防鲨网的收费浴场。时近中午，阳光炫目，沙滩反射着红色的光晕，人不多。海潮退了很远，防鲨网距岸仅十数米，挥臂即到。我们先后游到网边，悠闲地贴着网绳横游。海水阳光披浴在皮肤上，晶莹滑润。远处慈悲岛横亘海面，犹如一尊仰面东海的巨大观音，头身足栩栩如生。横穿海湾后蓦地发现防鲨网是卷在网绳上的，安全感顿失，游回岸边，心有余悸，问及当地人，方知夏季这一带海面没有鲨鱼。我们在沙滩上一个遮阳伞阴影中躺下。我有点疲倦，海水的涌动又是那么缓慢、有节奏，一会儿便睡着了。醒来伞荫旁挪，胡亦用湿热的砂子将我全身埋了，跪坐在旁边看着我咯咯笑，继续一捧捧往我身上堆砂子。我微笑着任她摆布，只露一颗头在偌大空旷的沙滩，平视碧波万顷的海洋和湛蓝如洗的天穹，心平如镜。

“好玩吗？”她笑着俯脸问我。

我笑着点头。

“埋埋我，你把我也埋起来。”她叫。

我坐起来，推掉身上的砂子。胡亦仰面躺下，双腿伸得笔直。我把她埋起来，只剩下一颗美丽的头颅。随着砂子的堆积，她脸上的顽皮和笑容消逝了，长长的睫毛盖住阖上的眼睛，脸色变得安详、平和、苍白、熟悉，像梦里时常浮现的那张脸。那是个可怕的瞬间，就像童话里外婆幻变成狼一样。我抚了一下她的脸，想抚去幻形。她睁开眼，温柔地冲我一笑，缓缓倒流去的时空又倏地切回现实：这是东海中的一个岛，我和一个刚认识一天的女孩一坐一躺在蓝天白云下的沙滩上。

“你怎么啦？”她坐起来，困惑地问我。

“没怎么。”我恢复了平静，“我看你闭上眼，不知你在想什么。”

“我觉得，”胡亦乐滋滋地又闭上眼，“好像在这儿待了几万年似的。”

我没搭腔，却受到深深的触动。天空、云朵、海洋、礁石，触目皆是亿万年沧桑的见证。多少罪恶被冲刷了，大自然依旧纯净、透明、恒久、执拗地培植、唤起人们的美好情感。

“你怎么那么忧郁，心事重重。”胡亦望着我问，旋又笑，“我真的有点信你是个劳改犯了。”

“……”

“我就是便衣警察，来侦察你的。”她接着笑说，“这儿到处是我们的人。”

“你觉得很逗是吗？”

“我……”她不笑了，脸飞红了，低下头，“对不起，我跟你开玩笑呢。”

我没掩饰被刺痛的神情，但也没再说什么。

黄昏，我们从海滨浴场出来，在小镇的丁字街上吃晚饭。胡亦不大笑了，细声细气地说话，不时看我的脸色，我有点过意不去，就主动开几句玩笑，她也马上活跃了。小镇倚山造房，街是倾斜的，铺着青石板。两旁一间挨一间木板盖的小吃店和餐馆，临街一面完全洞开，走在街上可以看到一格一格神态迥异的顾客围着桌子吃饭，店里的年轻女孩子坐着板凳卖海鲜，螃蟹、虾、淡菜、鱼种类齐全。再就是卖观音像、香袋、瓷雕的小铺子，这种小铺子又多兼卖速冻水和烟糖，也是年轻姑娘在招揽生意。卖水果小贩的担筐集中在街口石牌楼下。穿僧鞋拿雨伞的小尼姑和健壮的赤膊渔民夹杂在衣着时髦的游客中穿街而过。游客多是清秀苗条的南方人，偶尔可见金发碧眼的高大欧洲人。整条街就像电影摄影棚中搭的布景。

我们在一家私人餐馆坐下来吃饭。这家餐馆二楼放着香港武打录像片，五角钱一位，不时有年轻人踩着木制楼梯“咚咚”上去，剧情中的搏斗呐喊声亦不时传下来。我们一边吃着新鲜的鱼虾，一边看着街上来来往往的人。天黑了，街上没路灯，但间间敞开的铺面里的灯光明晃晃地照亮了小街，人群鲜艳的服饰霓虹般地变换、流行着。店内外的游客都友好、无拘束地互相交谈、开玩笑。我们也和同桌的一群度假的青年人聊了半天。出来走在街上，一群和胡亦相仿的男女学生又和我们搭讪取笑。卖水果的小贩热情地叫住我们兜售，我们买了一个沙瓤大西瓜，几斤殷紫的李子。回到住处，切了西瓜，边看电视边吃。房间后窗吹进不易察觉的轻风，黑压压的山脉上，一轮明月悬空，回廊庭院中树影婆娑。我有点心神不宁，刚才碰到的所有人都说我们是一对新婚旅行的伴侣。

四

这儿的服务员不大讲究，一大早门也不敲就进来重手重脚地打扫房间。我被吵醒后便躺在蚊帐里看导游图。服务员走后我起来穿衣服。卫生间还是没水，我把所有龙头拧开，出门去寺前闲逛。旅行车又拉来一批批新到的游客，寺前空地十分热闹。我在一家早早开门的旅游商场买了两盒香烟，又回到饭店。刚进房间便听到水龙头哗哗响，忙进卫生间关住溢出水来的浴盆龙头，刷了牙洗了脸，照镜子时我发现，才游一次泳，就晒黑了。第二天胡亦穿着睡衣睡裤睡眼惺忪地跟进来，爬上我的床四肢摊开躺下，抱怨老太太打呼噜，早上外面又吵，没睡好。

“还睡呀？”

“嗯。”她睁眼冲我笑一下，哼一声，又闭上了眼睛。

我无所事事地坐在写字台前翻看昨天的本地报纸，吸烟。过了会儿，听到身后床的弹簧响。回头看，她睁着眼看着我：“要喝水。”

我倒了一茶杯水端过去。她在我手里咕嘟咕嘟喝了阵，惬意地叹口气，又倒下去抱着毛巾被闭上眼。

“你笑什么？”她问。

“你睡觉跟小孩似的。”

“哼。”她用鼻子哼了声，脸藏进毛巾被里。

我继续看了会儿报纸，她在床上开始翻来覆去地折腾，毛巾被都耷拉在地毯上。

“睡不着就起来吧。”

她生气地坐起来，赤脚下了地，也不梳头不洗脸，问我昨天买的李子呢，“要吃。”

我告诉她在脸盆里。她去卫生间端出脸盆，蹲在地上挑挑拣拣地吃。

“劳驾，把脸洗了去。”

她不理我，啃着李子，眼珠骨碌碌转着冲我翻白眼。我把脸盆踢进床底下：

“不洗脸不让吃了。”

她沉着脸瞪我，嘴里还在咀嚼着。我好言说：“怎么能不刷牙洗脸就吃东西呢？这不卫生，又没人跟你抢，这些李子都是你的。”

她转身往卫生间走，拉着长音不满地说：“那么多事，跟妈似的。妈！”她回头对我做了个怪脸，进了卫生间。

等我想起来，跑进卫生间，她已经刷得满嘴牙膏沫了。

“你怎么用我的牙刷？”

“用用怎么啦？”她含着牙刷说，“又用不坏。”

“我有肝炎。”

“那怕什么。”她转脸继续对着镜子刷牙，“我不怕。”

“传染上可是你的事，我不负责。”

“没要你负责。”

胡亦洗漱完，梳好头，新鲜干净地出来，忘了李子，跳上写字台坐着，手扶着桌沿，晃荡着长腿问我今天干什么。

“先去逛庙，下午再游泳。”

外面阳光强烈，我不怕晒，就光着头走。胡亦有个凉帽，忘了戴，不时把手捂在额头上。她额头很宽耸，据说这种人聪明。

“怕晒黑了不漂亮？”我边走边问。

“才不是呢。”胡亦嗔我一眼，“晒得烫。”

她掀起短短的刘海让我摸，我一摸，乐了，果然烫手。

我们先在小街上一个小姑娘的店里吃了肉汤饺子（这岛上的饮食风味是南北大串法），然后沿着石板山路去一个最有名的尼姑庵。这庵原是东汉末年一个弃官修行的道士的炼丹洞，后来造了庵，以道士的名号做了庵名，还把这道士供在了观音旁边。这种兼容并蓄的大度精神还表现在庵里僧尼共存。当然，凡夫俗子尼姑是不理的。遇有轻浮男子试图搭讪，那些十八九岁的小尼姑便连忙摇手低头，口中喃喃念动真经。庵中有大量年轻尼姑，个个相当虔诚，在香烟缭绕的圆通宝殿里，我们见到一个瘦骨嶙峋的小尼姑在慈祥的观音塑像前立起跪下，一丝不苟，连续几个小时地磕着头，青黄的脸上洋溢着执迷的神态。令人眼前身后事如奔马激流尽涌上来，恍闻天外雷声隐隐传来。几个时髦青年趴在蒲团上叩头如捣蒜，诚惶诚恐。

“你不磕吗？”我问胡亦。

“不。”她放肆地说，“磕它干吗？迷信！”

“陪我磕磕。”

“不。”她一口拒绝。

我转身出去买了把香，燃着在菩萨前拜了拜，青烟袅袅地插在香炉上。胡亦一声不响地看着我，我犹豫了一下，还是跪下去，深深地俯首。站起来对胡亦说：“走吧。”

“你信佛？”走出殿门，胡亦问我。

“不，我只是不想在神明前无礼。”

走出山门高高的门槛，我们又置身在幽幽曲曲的山路。一旁是石砌的护山墙，荫如伞盖的大树。一边是苍郁的松林，陡斜下去的山坡，林隙可见远接青天的碧海。

“你害过谁呀？”我蓦地停住脚，胡亦笑着问，“这么小心翼翼。”

“你就那么……问心无愧？”

“当然啦。”她一昂首，“我从来没对不起过谁，都是人家对不起我。”

“寡妇抱着夜壶哭——”我对警惕地望着我的胡亦说，“我不如你。”

“这是个笑话吗？”她乜着眼犹疑地问。

“不是。”我对她说，“你没发现我从不开玩笑。”

“我早就发现你是个乏味的人了。”她大声说，“我最讨厌乏味的人！中国人怎么都那神德行，假深沉，假博大，真他妈没劲！”

“小姑娘说话别带脏字。”我提醒她。

“我他妈乐意带。”胡亦气急败坏地说，“你管得着吗！谁都想管我，这不行那不行的，就跟谁能千年万世地活下去似的。”

“怎么谁都想管你了？”我笑着问。

“可不是吗？”她数着手指头告诉我，“爸爸妈妈哥哥，老师团干部里弄积极分子，谁都管我。这些人有没有自己的事？怎么就像专为谁为别人才活着似的。我才不管那一套呢，不让我一人出来，偏一人出来！哼，想怎么着就怎么着！”

“那么随便？”

她乐了，点点头，像一只神气活现的鸟。

山路尽头出现了光秃秃的顶峰。顶峰崖边突兀地屹立着一块巨石，摇摇欲坠，千年不坏，人站在下面势危如泰山压卵。这是岛上一个奇迹。在善男信女们眼里，这巨石是上苍神力使然。攀上巨石，风声呼啸，脚下山峰尽小，人如立于青天之下，万物之上。极目千里，海天浑然，云在静静疾走，浪在无声奔流，似能感到地球、天体的运动；似能眺到早已消逝在地平线外面的过去年代的人、物。绰绰约约，虚缈飘忽，历历在目。

“你看到了吗？”我问站在旁边拼命用手护住头的胡亦。

“什么？”她不解地顺着我的手指方向看去，“你看到什么了？”

“使劲看。”

“我什么也看不见！”

我定睛再看，蔚蓝的天空上，白云像被孙大圣定住的飞驰仙女，一动不动。海则如冷却了的玻璃液，凝固成厚重的一块，渐次透明，反射出温莹的光泽。列岛、船只，错落有致，浑如一个巨型盆景。

“没了。”我说。

“什么没了？你看见什么了？”胡亦着急地抓住我的手，“海市蜃楼？”

"说不清。"

"你别故弄玄虚了。"她央求我，"告诉我看见什么了。"

"下去吧。"我说。

"我不。"她说，"你不让我看到，我就不下去。"

"我什么也没看到，开个玩笑。你不是说我乏味吗？"

"可是一点也不幽默。"她像个哭了鼻子也没多吃成冰棍的孩子那样失望，满怀怨恨，"这不是开玩笑，这是骗人。"

下山的路上，她不理我了。就连我说出"你说得对，谁也不能千年万世活下去"这样明显讨好的话，也没能使她瞧我一眼。中午我们回旅馆吃的午饭。饭后我们各自回屋休息。我睡了一觉醒来，庭院、各个房间静悄悄的。我早晨把药瓶的盖子拧得太紧，这时怎么也打不开了，我垫上手帕拼命拧。忽听胡亦迭声喊我。她脸红扑扑地从外面跑进来，坐在我的沙发上喘气，面带紧张地往窗外看。

"怎么啦？"我问。

"我刚才自己出去了，去海边。"

我把药片含在嘴里，往杯里倒水。

"碰到流氓了！"她大声说。

我看看她，仍紧闭着嘴，直到用水把药片送下去，才张口说："是吗？"

"是嘛！你怎么一点没有正义感。"她十分委屈，"就是不认识的人也不该这么无动于衷。"

我又喝了几口水，问她："什么流氓？"

"小流氓，两个。他们跟了我一路。"她大惊小怪地说，"吓坏我了。"

"怎么你了吗？"

“怎么也没怎么，说了很多难听话。”

“说的什么？”

“说我嘴大。”她脸红了，“说我下雨不用打伞。”

我笑了。

“你还笑。”她也难为情地笑了，“真差劲。”

“他们那么说也没什么恶意，大概是喜欢你。”

“我知道！”

“知道你还生气。”

“我知道你把我当小孩！”

“没有。”

“就有！你上午对我的态度就像对小孩，跟我打哈哈，一点不尊重我。”

“没人不尊重你。”我安慰她，“你当然是大人。”

“那两个人就不尊重我。我嘴大额头大我自己知道，他们干吗在大街上说我。你帮我打他们。”

“什么？”我说，“你叫我干这个。”

“嗯，考验你。”

“好吧。”我想了想说，“去看看。”

胡亦高兴得一跃而起，我叫她等等，去卫生间换了游泳裤。她问我是不是往腰里掖了刀，我说是。

在小镇的街上，胡亦指给我看那两个正在买西瓜的“流氓”。是两个文绉绉的青年，有一个还戴着眼镜。他们看见我和胡亦过来，就冲这边笑。我也冲他们笑笑，往前走去。

“你怎么不打他们？”

“我打不过。”我跟胡亦说，“我刚才是换游泳裤，不是掖什么刀。”

她气坏了，转身要跑开。我一把抓住她的手腕子，对她说："你以为用刀扎人像开玩笑那样随便吗？不能对别人也想怎么着就怎么着。"

她挣开我跑了。

我独自走到海边，脱了衣服游进去。海水在我四周闪着焊花般的耀眼光芒，柔软的水波从我头上后背滚滚而下，我有力地划着水，向蓝得没有一点瑕疵的、绸缎般的大海挺进。游了一阵，我四肢伸开躺在海面上，眯眼享受着阳光的照耀，随波漂浮。一个小小的人头出现在岸方向的蓝色波涛中，越来越近，我认出是胡亦。她游到我身边，鬓上挂满亮闪闪的水珠，向我击出一掌飞溅的水花。我竖起来，踩着水，她也踩着水，腼腆地笑着说：

"我又来了，你生我气了吗？"

"没有。你生气了？"

"我也没有。"她大声说。

"往前游吧。"我对她说。她点点头，我们一起向大海纵深游去。

"喂，我觉得你特像个算命先生。"

"什么？"我游慢了点，等她上来，"我不会算命，和尚会。"

"我说你像个算命先生，那么诡秘，话里乱藏玄机。"

"你像什么？"我不太喜欢她对我的这种看法，换成仰泳，瞧着她。

"我像人呗。"一股小浪激到她脸上，她闭了下眼和嘴，又纷纷张开。

"人什么样？"

"瞬息万变，唯恐天下不乱。"

"譬如……"

"譬如，"她笑嘻嘻地抢着话头说，"刚才我真恨你，转念一想，又不恨了。”

我停下来，有点喘吁吁。她游上来靠住我，我托着她胳膊踩着水。她快活地喘息着扒住我的肩膀说：

“没准以后我还会喜欢你，你也会喜欢我，天知道。不像你算命先生，老那么沉着，有条不紊。”

我松了手，她沉下去，一会儿浮出来，咳嗽着抹去脸上的水，“你想害我呀。”

“我们游得太远了。”我环顾四周海面，已经出了海湾，那尊仰躺的巨大观音脸上的白塔绿荫已十分清晰。

“没鲨鱼，渔民说了。”

“有暗流，去年已经淹死了一个人。”

我们涉水上岸，长长的浪潮翻卷着，滚动着。水花犹如无数拥挤跳跃攒动的白鼠群，冲上来，化作一摊摊水沫，渗入砂下。沙滩变得湿润褐黄。

傍晚，我们正在街边挑选玩赏一件两个接吻小孩的有趣瓷像。古寺晚祷的钟声响了，一下接一下，沉闷悠远，小镇上空梵音萦回飘荡。我们循着钟声一路走进寺院，已经昏暗了的大雄宝殿中，一个身披红黄两色袈裟的长老领着上百个黑衣和尚在佛像前做着诵经晚课。长老在一名小僧的搀扶下，连连拜倒。分立两旁的汗流浃背的和尚一手摇扇，一手掌拜，在领诵僧的带领下，整齐嘹亮地哼哦。佛脸在摇曳的烛火中闪耀着慈爱的光环，微阖的慧眼俯视着顶礼膜拜的人们，又似视而不见。

大雄宝殿后面小殿里别是一番景象。五彩灯泡明灭着，三个峨冠博带、法衣斑斓的和尚坐在佛前陛台上，吹着电风扇，嗯啊嘛吧地边唱边舞动法器。一班小和尚敲击着镲钹木鱼伴奏，声调抑扬顿挫，重复循回，就像唱着一首古老的叙事诗。

我和胡亦各求了一支竹签，上面各是一句旧诗。我那上面写的是：“春雨断桥人不渡”。她那上面写的是：“无端隔水抛莲子”。

五

“喂，你看见我的袜子了吗？”

我靠在床头，双手抱头看闭路电视。胡亦手上沾着肥皂沫问我：“我的一只袜子脱下来怎么不见了？”

“……”

她东瞅瞅，西翻翻：“你没拿？”

我仍旧看电视。

“问你哪。”她走到床边，用湿手捅我一下，也掉脸看了电视里令人眼花缭乱的武打，“你倒是说话呀，哑巴啦。”

我把目光收回，忍着气说：“我凭什么得知道你的袜子在哪儿？”

“不知道你就说不知道呗。我不过就是问你拿没拿，怎么啦？”

“没拿，也不可能拿。”我愤愤地继续看电视。

“瞧你那副样子，谁欠你二百吊似的。”胡亦厉害地瞪我，转身出去，“这人怎么这样，没劲透了。”

剧里最潇洒的一条好汉被铁砂掌打吐了血，眼瞅着就要被凶神恶煞的坏蛋结果了性命。一位漂亮的小姐自天而降，雄壮地怒吼着，指东打西，挽狂澜于既倒。

我听见胡亦在窗外和人嘁嘁喳喳说话，话里夹笑。从纱窗看出去，见她一边晾衣服一边和下午遇到的那两个“流氓”说笑。一会儿，胡亦跑进来，拉我去打扑克，说那两个人邀请我们去他们房间玩，他们也住在这家旅馆。

“带刀吗？”我问。

胡亦笑着说：“人家不是流氓。”

“这会儿又不是了。”

“走吧走吧。”

她牵着我，走到隔壁那两个满面笑容的人的房间，对他们说：“这是我爱人。”

我猝不及防，先热情地和那两个人一一握手，坐下来才瞪胡亦。她嘻嘻哈哈地和那两个人开着玩笑。

“你们是旅行结婚？”戴眼镜的那个问我。

我哼哼哈哈，不置可否。

“我爱人不太爱说话。”

“性格内向？”另一个小子笑着瞅我。

“比较深沉。”胡亦简直是乐不可支，“他是学考古的。”

“是吗！”那两个家伙一阵惊叹，“属于四化人才呀。”

“哥儿们，”我说，“咱们不是玩牌吗？怎么改了，拿我开起心了。”

“没那意思没那意思。”戴眼镜的那个拿出扑克牌，洗了牌。我们四个开始摸牌，玩一种赌点小输赢的牌戏。那两位都是老牌痞了，玩得很油，也很体贴我们，赢了几局后又送了我们几局。不就是玩嘛，我也没太认真，乱叫高分。玩来玩去，胡亦成了唯一赢家，赢了几块钱硬币，愈发兴致勃勃。我已经有点心不在焉了，一边出牌一边睃眼看电视。

“你真是考古的？”年轻的那个牌友问我。

“听她胡说，不是。”

“那是干什么的？”

“街道干部，你呢？”我问他。

“他们是作家。”胡亦插话，俨然已相知颇深的样子。

“噢。”我想起旅馆某个房间门上似乎贴过一张某出版社笔会报到处的告示，原来他们就是那伙写东西的骗子。他们自报了家门，我听着耳生。胡亦又告诉我他们的作品是什么。我瞅着胡亦热心声张（真不知她怎么和这二位一下子这么熟）以及两个作家谦逊的样子十分可气，明明看过那些作品也装糊涂，“我很少看中国小说。”

他们又说了一大堆来参加这个笔会的如雷贯耳的名字。胡亦兴奋得满脸放光，又恭顺又敬仰。

“我不知道你还是文学爱好者。”

“我当然是，”胡亦白我一眼，“我兴趣广着呢！”

这牌已经没法玩了，因为胡亦开始就文学提出一连串诚恳而愚蠢的问题，那两个家伙在煞有介事地热忱回答。一个热情的文学青年撞上一个或者两个热情的作家真是件令人恐怖的事。他们的话题渐渐大起来，已经侃出了国界。我明显感觉碍他们的事，又不便拍屁股走，似乎不恭，只好假装被幼稚的武打片所吸引乃至全神贯注。正在我痛苦不堪的时候，电视救了我。本来打得激烈的场面突然变成了一个正在脱衣服的女人，也许放录像的人也没料到，愣了几秒钟，接着中断了，屏幕上一片雨点。各房间冲出很多兴奋的男人，往别的房间闯，都以为自己房间的电视机坏了。我趁乱溜走。我的房间里有个陌生男人在搞我的电视机，我客客气气请他出去，关上门上了床。

夜里，胡亦从作家们的房间出来，路过我的窗口看见我还没睡，就进来了。进来便问我：“看到了吗？”

“什么？看到什么？”我不解地问。

“裸体女人呀，你那么飞跑，看不上可太亏了。”

“是非常遗憾。”

“真丢脸，我没想到你竟是这么个低级趣味的人，把我的脸丢尽了。还是在作家面前，人家会把你写进书里。”她很傲慢，到底是和作家消磨了一晚上。

“我不大懂。”我说，“怎么会连你的脸也一块丢了？”

“我跟他们说你是我爱人呀。他们都问我干吗找这么个又老又俗气的人。”

“这是对我的侮辱。”

“可你的确看上去又老又庸俗。”

“我说你侮辱了我。我怎么会成你爱人，你大概不知道我是谁。”

胡亦诧异地看着我，走过来：“你是谁？是毛主席丢的那个孩子？”

“你别闹，别闹。”我求她。

她一把抱住我，咯咯笑着：“让我也一亲天颜。”撅着嘴唇作势欲吻。

我开始还觉得可笑，扒她死扣着我脖子的双手，接着就像蜂蜇了一般打了个哆嗦，过去熟悉的感觉、冲动蓦地喷射到全身。我猛地推开了胡亦，她向后踉跄，一个屁股蹲坐在地毯上。

“别闹。”我无力地说，感到全身的血液在沸腾，“我经不起逗。”

“你把我弄疼了。”

“我拉你起来。”我把她拉起来，喘着气说，“回去睡觉吧。”

“你怎么啦？”她纳闷地问我。

“你快走吧。”我厌恶地说。

那一夜我几乎没睡，咬着牙躺在床上忍受着勃发的情欲烈火般的煎熬。天亮后我去洗凉水澡，发觉眼睛都红了。

胡亦还没起，我也不想见她，独自去海边沙滩散步。海风吹来，凉意侵入，裸露的肌肤起了鸡皮疙瘩，我双手抱肘慢慢走着，鞋里灌满砂子。我在沙滩上坐下，涨满一湾的潮水一批批退下去，留下波纹状的一道道水印。我坐了很久，心平气和地想着那个撩人的女孩子，直到阳光笼罩了我，才起身往回走。

我在海边公路旁喝了小贩的速冻水，喝下去就后悔了，那香精和漂白粉味真叫人恶心，吐又吐不出来。尽管这样，我的心情仍然挺好。

我走进旅馆时，胡亦正在院里和那两个作家说话，看到我一齐哈哈大笑起来。我进了房间，胡亦也神态诡秘地跟进来：

"你去哪儿了？"

"遛遛。"

"怎么不叫上我？"

"忘了。"

"你看上去挺高兴，什么事这么乐？"

"没事，便秘了好几天，刚通。"

"我昨晚，"她在我旁边坐下说，"惹你生气了吧？"

"还好。"

"我真怕你嫌我轻浮。嗯，我有件事想问你。"

"别兜圈子了。"我温情地瞅着这个忐忑的女孩，"你想问的那件事我知道了。"

"我没说呢，你怎么会知道？"她脸红了。

"这种事不用说。"我微笑地说，"感觉就能感觉到。是的，我也喜欢你。"

她抿嘴笑。

"别笑，我觉得这件事我们双方还都要慎重。我有必要让你了解我是什么人，然后你再决定，即使你动摇了，我也不怨你。”

她笑：“你说吧。”

“我是个劳改释放犯，谈不上释放，保外就医。”

“我不在乎。”她忍着笑说。

“我得的病还是传染病。”

“没关系。”

“我在你前面和很多女人有过关系。如果你想听……”

“想听。”她笑嘻嘻地说，“洗耳恭听。”

“别笑了。”我说，“你怎么像是开玩笑。那年，我认识一个像你一样可爱的女孩，她非常非常爱我……”

胡亦大笑起来，笑得十分厉害，眼泪都出来了。我钳口呆住了，不知所措。

“你笑什么？”

“我发觉你这人平时不露，一露出来比谁都逗。我就不喜欢那种嬉皮笑脸穷贫的相声演员，好演员就得观众笑自己不笑。”

“我不是跟你说相声！”

“你别逗我了，我肚子都要笑疼了。”她笑得弯下腰，欣赏地瞅着我，“你真油，一眼就看穿了我的花招。我的玩笑还没开起来，你就先接了过去，他们俩还说你会上钩呢。”

“谁们俩？”

“那两个作家呀。我告诉他们咱们不是夫妻。他们非说你在偷偷爱我。我说他们编小说，他们叫我试探你，问你，和你开个小玩笑，还跟我打了一个西瓜的赌。这下他们输了，你的幽默感比他们强。”

我想我的脸色已经变了，忙点起一支烟遮掩。

“咱们去找他们吧。叫他们买瓜。”

“你去吧。”我强笑，任凭胡亦怎么拉也不动地方。我知道见到那两个卑鄙的家伙，我肯定会控制不住自己的。

胡亦跑掉了，我听见隔壁旋即响起的笑声，忙迅速离开了旅馆。

我沿着海边公路漫无目的地走。由于每年台风的劲吹，岛面对外海的这一面几乎没有高大树木，阳光直射在路面。我在灼人的阳光下行走，很快全身出了汗，感到愤怒在一点点增长。两辆满载游客的旅行车从我身旁驰过，卷起灰尘，我变得肮脏、粗陋、怒不可遏。岛的地貌在顶端起了变化，佛陀山支脉绵延入海，公路劈山削崖而过，连续出现峥嵘的山口。长着低矮乔木和草丛的陡峭山壁上刻满佛像和谶语以及毛主席诗词。在一个山坳我看见了一个香客游人云集的大寺院。我拐入一条小路，走到岛顶端的一个楼阁。楼阁凌空建造在峡谷间，海水在下面的礁石上激流飞溅，涛声如雷。楼阁后面悬崖上有一条大裂缝，狭长多褶，晦暗神秘，潮水涌进涌出，据说这是观音现身处。阁内立一十八手观音，金碧辉煌，垂目凝神。我怎么才能像你那样雷打不动？我问。

回来的路上，我走进芦苇荡中的小径，高大茁壮的芦苇密密麻麻，一望无际，犹如森林。海风掠过，苇浪翻滚，簌簌作响。

走出芦苇荡，天已经黑了，黝黑的山林中寺院和人家的灯火点点。柠檬色的月亮低低悬在海面，波平浪缓的海面泛着一层银辉，在夜色中遥远、幽静、漫无边际，像是一片结了冰的湖水。我神情黯然地伴着月亮走，饥寒交迫，感到非常悲凉。

小镇的街上灯火通明，人声鼎沸。各个餐馆里笑语喧喧，杯觥交错。我在一个餐馆坐下来要饭菜吃。旁边一群作家在喝酒，今年这岛上的作家比和尚都多，街上疯狂扭迪斯科的，房间里昏天黑地搓麻将的都是作家。我问一个也住在我们旅馆里我原来以为是商人的作家，他那两个年轻伙伴怎么不见。那人喝得醉醺醺，半天才闹清我说的是谁，说他压根不认识那两个“瘪三”。“他们要是作家，我就是罐装青岛啤酒。”

六

我希望胡亦能注意到我的异样，希望她像平时那样，脚跟脚进来询问我，毕竟我一天没见影了。可她已经失去了对我的好奇和兴趣，看到我从窗前经过也不招呼，继续和那两个骗子谈笑。我躺在床上，听着隔壁传来的尖声尖气的笑声，尽管决不愿承认，也明白自己是吃醋了，嫉妒了。也就是说，我认真了。

他们说话声音突然大了，胡亦站在打开的门口说：“等会儿我，我马上就来。”接着飞跑过我的窗前。我来不及多考虑，一跃而起，喊她的名字。

“什么事？”她闻声走回来，推开我的门。

“进来。”我说，“跟你说件事。”

“急吗？不急明天说吧，我还有事。”

“这么晚了还有什么事？”

“嗯，他们，那两个作家约我去夜泳，月光浴。你去不去？”她毫无热情地邀请我，“要去一起去。”

“我不去。”我说，“你也别去了。”

“为什么？”

“我觉得这么晚了不安全。”

“我有伴儿。我不是告诉你了，那两个作家陪我一起去。”

“什么作家，哪儿有作家？”

胡亦不耐烦的脸上又添了一丝不满：“别装傻了，你又不是不知道。”

“你指那两个和我们打扑克的小伙子。”我微笑地说，“他们可能是有学问的人，也许是宇航员，但你别把作家跟他们拉在一起，他们连作家的儿子都不是。”

我本来以为胡亦会吃惊，会惶惑，会刨根问底，然而都没有。她只是看了我一会儿，问：“那又怎么样？”

“怎么样？他们是骗子！”

“那又怎么样？既然谁都可以冒充思想家，冒充一下作家有什么不可以？”

“你不在乎？”

“不。”她笑，“我觉得这个玩笑挺有意思。你不是也一直说你是劳改犯，不过你这种冒充可太俗了。”

“胡亦胡亦。”那两个年轻人在外面叫，“在哪儿呢？走不走啊。”

“来了。”胡亦闻声往外走，“来了来了。”

“等等。”我粗暴地抓住她胳膊。

那两个年轻人推开我的房门，出现在门口。我松开胡亦，像马一样毫无表情地说：

“二位作家，等会儿行吗？先到院里等会儿去。”

“怎么啦？”其中一个问胡亦。

胡亦脸色苍白，勉强笑笑说：“没事，你们出去等会儿吧。”

两个人退出去，在院里嘀嘀咕咕说话，胡亦瞟我一眼：“还有什么，快说吧。”

“没啦。”我沮丧地说，“就是希望你慎重点。”

“怎么没啦？应该还有呀。”她尖刻地说，“干吗不把你这么醋劲大发的原因讲出来，酝酿了一天的勇气又烟消云散了？”

“对。”我说，“是那么回事，我喜欢上你了。噢，不用羞羞答答了，爱上你了，不是相声。”

“我信了，还不成？！”胡亦鄙夷地瞧着我，“爱上我了，哼，我也必须爱你吗？”

“当然不。”

“好，那我告诉你，你多情了。我不爱你，压根也没想过要爱你。”

“……”

“要是我过去不检点，哪句话哪件事让你误会了，算我不好，向你道歉。这几天你照顾了我。我谢谢你，以后咱们各玩各的吧。”

她转身要走，我挡住了她，低三下四地说：“你别生气。”

“我没生气。”她厌烦地吁了口气，“你还要我怎样？你帮了我忙，我谢了你，还不够？我还要和那两个——你说的——骗子游泳去呢。瞧，就是我真乐意和你结婚，你也受不了呀。”

“不，我不是道学先生。我可以做得比那两个小子都豁达。要是你仅仅因为这一点。”

“你都听什么了！”胡亦恼羞成怒，爆发了，“我不会跟你结婚。我不是不跟你结婚，我跟谁都不结婚，我根本还没考虑过结婚呢。”

“……”

“其实，你也是鬼迷心窍，你跟我结婚有什么好。”她口气和缓些，“要说结婚，你还是找个像过去那个‘非常非常’爱你的姑娘，一定会对你好一辈子的。我可就说不准了，即便现在喜欢你……我跟你说这个干什么！躲开，我出去。”她气了，像呵斥一条狗。

“你不能这样对待我。”我说。血涌上脸，青筋毕露，太阳穴一跳一跳的。

“我怎么对待你了？”她也气愤地尖叫，“你这人怎么这样无礼，我们不过是萍水相逢，一块玩了几天，我又没花过你一分钱，从始至终就是旅伴关系。别说没有什么，就是真有过什么，我想走你也管不着！难道你碰到对你热情一点的女孩子，就都以为她们一门心思要嫁你？”

胡亦推开我走了，我屈辱地低下头。那天晚上，他们一夜没回来。电视播音员预告，今年第五号台风今天夜里到达这一带海面。

第二天早晨，天气阴晦，斜风阵阵，海水变得黑黄浑浊。浪潮一道跟着一道，紧紧衔接，刚掀起锋面，就在顶尖翻花卷浪，咆哮着滚滚而来，迅猛有力地冲刷上岸。一波未平，一波又起，重重叠叠，白浪滔天，形成宽阔、蔚为壮观的浪阵。岸边的游泳者，下海游出几米，即被连续跃起的海浪灭顶，无影无踪，接着，随着冲上来的厚厚潮水的退回，狼狈地出现在沙滩上。纵观全海滩密密麻麻的游泳者，竟无一人能冲过浪阵。我走下沙滩，水刚齐腰，即受到浪头猛烈撞击，水浪把我打得颓然倾倒。我匍匐在水中，见一个浪头刚刚掀起便一头钻了进去，水流呼呼从我身体两侧泻过，我顶住了强大的冲力，在浪头背后露出。长长拱起的波浪向岸上飞快扫去，留下一条狭窄深凹的浪谷。我刚游出谷底，第二线浪峰推了过来，我竭力往上起，未至涌尖已陷入沸腾、爆碎的白浪中。接着，像是有人猛推我胸部一下，我仰面朝天倒栽在水中，水流从我胸腹部沉重地驰过，裹着不断翻着跟头的我飞跑。水退滑下去，我躺在泛着水沫的沙滩上，七窍进水。我再次冲进海里，再次被无情的海浪掷回岸上。第三次我学聪明了点，斜刺顺着涌势游，不等浪头掀花破裂，刚呈形便越过峰顶，连闯几道浪涛，进入浪阵中心。这时我可以看到海面上远远涌来的一道道波浪，如何愈滚愈大，像一个慢慢爬起身的巨人，忽然站起来，顶天立地遮云蔽日。缓缓弯下腰，伸出无数只手爪攫住我，不顾我的挣扎，将我按住在水里揉成一团，像子弹似的装进枪膛，向岸上射去。我陀螺般急剧旋转着，风驰电掣地飞行着，耳内只闻水吟龙啸，良久，几乎窒息了，一头扎在沙滩上。我精疲力竭地爬起来，周身像被人揍过一样疼痛，张望着扬威肆虐的海，望着站在残水里嬉笑，浪一来便往回跑，享受着随波逐流乐趣的男男女女。

乌云在海平线堆积、飘移、蔓延过来，苍白的天空像是洇了墨水的纸，迅速变暗、变黑，沙滩上像黄昏一样。一滴沉重的雨点打在我肩上，我仰起脸，又有数滴雨点先后落下。游泳的人们开始散开，奔跑。雨点连成线，密集地下成白茫茫一片，海滩很快空旷了。我抱起湿淋淋的衣服，走了两步，看到了胡亦。她独自坐在沙滩上，头发、衣服都湿透了，贴在身上。脸上雨水在流淌，我不知道她是否在哭。

"他们把你怎么啦？"

"……"

"你说话呀，他们把你怎么啦？"

"昨天我对你真不应该，你别生我的气。我这人就是这点不好，对人刻薄，说翻脸就翻脸，非得叫人也这么来一下，才知道不好。"

"他们把你怎么啦？"

"……"

"你说话呀，他们把你怎么啦？"

"别问了。"她呜咽地说，"我不会告诉你的。"

风大了，雨幕抖动着，愈来愈密，愈来愈有力，已成倾盆大雨。我被雨浇得张不开口，睁不开眼。海潮一波波涌近，涛声雷鸣交响。

七

暴雨下了一天，晚上也没停，水龙头流出的水含了大量泥沙，岛上还断断续续停电。我没出屋，看着忽灭忽亮的电视。据新闻报道，台风已在与岛遥对的大陆沿海登陆，强劲地横扫了十几个县，造成了严重破坏。

我没看见胡亦，不知她在不在自己房间。那两个男人领着两个姑娘进了他们房间，开始还能听见隔壁唧唧哝哝的说话声和哧哧笑声，后来就没动静了。窗外的雨一会儿急一会儿慢，无声的闪电不时照亮夜空、庭院。

夜里，我忽然惊醒，隔壁房间有人在激烈地争吵，接着，争吵声戛然而止。须臾，我的房间灯一下亮了，胡亦满脸狂怒地闯进来。

"喂，你想要我吗？"

"干吗？"我从床上跳下来。

"别问，想要就给你！"

她走上来要搂我，我一把将她拨拉开。

"嗬，还有点不好意思。"她嘴里喷出强烈的酒气，"你真是个清白的好人儿，一个痴情单恋的小男孩，命运总是对你这种好人不公正。该得到的得不到，不该得到的全揽。今天，我他妈就要铲除这人间不平。"她大喊。

我走开把门、窗关严，使她的声音传不出去，然后两臂架在胸前看着她。她头晕站不住，倒在了床上，安静了一会儿，睁开眼，见我还站在一旁，便骂开了：

"你他妈怎么不动呀，吃货，还得我喂你？不是嫌我对你不好吗，这回我对你好了，怎么又懵了？噢，不会干，真是白活了。不复杂，这就像吃饭一样，不用学。”

我点起一支烟，仰头吐烟圈，心像一把被戴着铜指套的手揉拨的琵琶，弹着一支老歌。

“你难过了。不是你想象的那个可爱、纯洁的故事，不是你想象的那个可爱、纯洁的人。你像中学生一样浪漫，我告诉你，本来无一物。”

“不要意气用事，你这样报复不了谁，只会毁了自己……”眼泪从我干涸多年的眼眶沉重地流下来，像一个终于破了头的疖肿，流出来的是脓血。我只希望流得彻底、干净，只希望粉生生的肉芽赶快长满填平这个使我痛苦、不能正常生活的凹洞。重新恢复健康肌肤所具有的一切光泽、触感；重新恢复整个肌体的卫生；不受妨碍的功能。我声色俱厉地说：

“不要再提我的情感，不要妄加揣度，不要亵渎它，否则我不客气。”

“你别对我厉害，别对我这么厉害。”胡亦叫着，也哭起来。接着打起逆嗝，跑进卫生间，开始呕吐，吐一阵哭一阵。我给她捶背，倒水漱口，擦脸。她闭着眼睛嘤嘤哭，哭得上气不接下气。

“我完了。”她说。

“想开点，现在刻骨铭心的惨痛，过个几十年再回头看看，你就会觉得无足轻重。”

“你说得倒轻巧。”

“那怎么办呢？”我问她，“哭死？灌硫酸浇一壶？”

她停止了啜泣，垂着头，愧悔难当。

“不用我再讲大道理了吧？”

她摇摇头。

“那就这样吧，别悲天悯人，自叹命薄了。你还年轻，依旧漂亮。”

“真的吗？”她抬头看我。

我点点头，对她笑笑：“你照照镜子。”

她掉脸看壁上的大穿衣镜，立刻恢复理智，本能地擦去脸上的泪痕，把凌乱的鬓发捋平。

“明天就走。”我也出现在镜里，“我去给你买票，怎么来的怎么回去。就当什么事也没发生过。”

“你跟我一起走吗？”

“不，我还要住两天。”

“我想给你留个地址。”她犹豫地问，“你要吗？”

“好。”我找支笔，让她写在纸条上。

“我……”她写好条子，表情复杂地看着我，欲言又止。

“好啦，”我说，“别说内疚的话了，也别假装爱我。回去睡觉吧。”

我送她出了门，她情不自禁地瞟了眼隔壁那扇紧闭的门。眼睛登时又黯淡了。我推她转过身：

“不许再想这件事，高兴点。”

“高兴不起来。”

“想想别的事，过去的那些高兴事，没有一件吗？”

“有的。”她勉强笑了一下，进了她的房间。

我看她关好门，走回房间，点起了支烟，把她留的那张纸条烧了。

第二天，我到码头买船票。由于台风延误了几班船期，码头上人山人海。票房挂出了牌子，这两天的船票已全部售光。我耐心地在人群外等候，没多一会儿，那两个人果然满头大汗地挤出了人群，手里拿着两张船票。我迎上去，脸上露出笑容。

“噢，哥儿们！买着票了。”

两个人抬头见是我，脸上立刻流露出戒意，佯笑着说：“你也来买票？”

“没买到。我看你们是哪班船。”

他们犹豫着不愿把票给我看。我伸手拿了过来，翻来覆去看了看，还给他们。

“我们也坐这班船走，咱们一路。”

“你不是没买着票吗？”戴眼镜的问，把票装进衣兜。

“上船补呗。我刚在码头和警察套了个磁，船上见啊。”我转身要走。

“哎，”年轻的那个叫住了我，“你们急着赶回去有要紧事吗？”

“我倒不急，胡亦特急。本来说再住两天，她突然变卦非要回去，也不知出了什么事，昨夜大哭了一场。你们知道她出了什么事？这两天你们常在一起。”

“不知道。”他们连忙说，“昨天还好好的呢。”

“我也纳闷，赶紧回去完了，可又搞不着票。瞧她那样，真怕她在这儿闹出点事来。”

“这样吧。”年轻的和戴眼镜的交换了一下眼色，说，“你们要急，我们的票让给你们。”

“那不好，一起走不就齐了，我们肯定能上船。”

“没关系，我们不急，晚几天走没事。你们上船补票只能补散座，还不够受罪的呢。”

“那太谢谢了。”我接过他们的票，付了钱笑着说，“谢谢，太谢谢了。”

下午，我送胡亦上船，一路都没说话。到了码头，只匆匆地握了握手，她就拎起手提箱走进去，头也没回。满载着乘客的摆渡船驶向湾里泊着的客轮。客轮各层甲板上站满了花花绿绿的人群，乱纷纷地向码头招手。胡亦穿的素色衣服，我早已找不着她了。我也知道，她的心神已经随着回程的开始，全部回到了旧有的、熟悉的另一个世界。这次旅行中遇到的人和事已尽量都留在这个岛上，包括我。客轮在港湾停留了很长时间，直到夕阳西沉，全部乘客登了船，才在满湾金波中起锚驶走。浩瀚的海洋在我们之间展开了，轮船愈来愈小，消逝在暮色苍茫的海平线。

我沿着幽暗潮湿的山阴道往回走，在一个衰老的老太婆的摊上买了把骨柄短刀，坐在一株古老的银杏树下的青石上开了刃。

这天晚上是观音菩萨的出家日，也称之为生日，就是说不知何年何月的今天晚上一个凡夫俗子肉身坏了，一个菩萨诞生了。各寺庙都通宵达旦地做着隆重的法事祭奠。海外各国的善男信女随缘乐助出成千上万的钱财。大雄宝殿内无数支红烛照得佛像生辉，铜铸的香鼎内插满了香束，燃得大殿烟雾腾腾，一批批信徒在林立两旁的僧众的唱经声中拜倒佛前。钟鼓回响在夜空，颂声萦绕于梁上。我回到旅馆安然入睡，梦里犹闻清音隐隐。

早晨，我起床后感到神清气爽，精力饱满。美美地吃了顿早饭，走到海边码头。台风已远远带走了雷雨，海面风平浪静，红日遥遥浮出。乘早班客轮离岛的游客开始在码头聚集。终于，我看见了那两个躲躲闪闪提着行李的朋友。

“你们好。”我愉快地大声向他们问候。

他们的脸色则瞬时变了。

“多巧啊，又碰上了。你们怎么走啊，多住几天嘛，撇下我一个人怪孤单的。”

我挡住了他们的去路，他们放下行李，眼露凶光，手插进裤兜。

可扫了下周围密集的人群，又慢慢露出笑容：

“你怎么没走呢？”

“舍不得你们呀，想跟你们做个伴。再住几天吧，这岛上的风光多么好。”

“我们不住了，你要舍不得走，就和你那个新婚妻子多住几天，和她做伴吧，她就缺伴。”

“她走了。”

“那你再勾搭一个，岛上有的是姑娘。”

“姑娘倒是不少，可没什么叫人刮目相看的。”

“你还挺难弄。得嘞，哥儿们，别这儿打岔了。让让，我们得上船了。”

“打你妈 × 岔。”我骂。

两个人脸上的笑容顿时僵滞了，直瞪瞪瞅着我：“你厉害，你厉害还不成。”

“厉你妈 × 害。”

“你别没完，我们这是让你，再来劲打出你屎来信不信？”

“你要打出我屎来。”我说，“也是你费事，还得一口口吃喽。”

这两个人是老手，出拳又快又狠，打得我不善。我躲闪着，用短剑在他们二人腿上浅浅地刺了几道口子。警察一到，就把剑一扔，举手投降。那两个家伙想跑，实在没处跑，被人群箍桶似的围着。

我们三个人被带到了派出所，一人一个墙角蹲着。一个警察问我怎么回事，我说我们三个都是打圈里逃出来的，半道上闹翻了脸打起来。那两个小子一听我这么说，急得话都说不利索了。连连说根本不认识我，他们是上船的旅客，老实巴交的大学生，我这个流氓向他们无理寻衅。

“我信你们谁的？”警察问。

“谁的也甭信。”我说，“是公是母掰开瞧瞧。”

“说的也是。”警察踢我一脚，“我看你们都不像好人。”

警察去查了各地发出的通缉令，拿了一张回来，打量着通缉令上的照片和那两个耷拉了头的家伙，问他们：

“是你们俩没错吧？诈骗、轮奸，事不少啊。”

我直起腰冲那两个上了铐，恨恨地望着我的家伙笑呵呵地说：“咱这嗅觉可以吧，你们一张嘴，我就闻出了还新鲜着的窝头味。”

后来，警察对我进行了单独询问。不管他们怎么问，我都说我只是瞧出这两个小子不地道，报案又没证据，所以弄了个公共场所斗殴，以期引起警方注意。警察提到胡亦，说是那两个人交代了，让我提供受害人胡亦的情况。我说我不知道，没有地址也不了解详情。警察做了许多工作，我坚持我的说法。他们只得让我走了。

我一路乘船、火车回家。穿过了广袤的国土。看到了稻田、鱼塘、水渠、绿树掩映下粉墙绰约的村镇组成的田园风光；看到了一个接一个嘈杂拥挤、浓烟滚滚的工业城市；看到了连绵起伏的著名山脉，蜿蜒数千公里的壮丽大川；看到了成千上万、随处可遇的开朗的女孩子。

（原载《啄木鸟》1986 年第 2 期）

等待

这是发生在“四人帮”横行的时候的事了。那时，妈妈管我可严了，一步都不让我多走，一下班就赶忙回家看我在做些什么功课，做完了没有，房间打扫了没有。如果在跳皮筋或者和女同学们说笑呢，她准会板着脸叫道：“小丽，回家！”根本不管人家正玩在兴头上。要是我不在家，那她可就急啦，首先拨遍小本本上的所有电话号码，然后，到她所认识的我的女同学家挨门挨户地问，直到把我从欢笑的人堆中拉出才罢休。回家后，还要一个劲地训斥我不爱学习，不爱劳动，光知道玩。妈妈这套管理办法，我真是烦死了。

别人家的孩子，最盼星期天，好痛快玩玩。我却最讨厌星期天。每逢这一天，妈妈就有全天的时间看着我，她让我坐在她旁边，复习上周的功课，连哥哥和我说几句话，她也要唠叨几句：“不要影响妹妹。”我觉得我简直是世界上最苦闷的人。

五一节后的第一个星期天的晚上，我们全家照例坐在屋里看电视。又是《平原作战》，也不知放过多少遍了。妈妈安详地打着毛衣，爸爸在看《参考消息》，哥哥则在剪指甲，谁也没看电视。我瞧他们还挺自在，便坐不住了，对爸爸说：“爸爸，我出去凉快凉快。”爸爸还未答话，妈妈插嘴了：“天都黑了，哪去？”我白了妈妈一眼，不愿理她。哥哥显然也难受得要命，他大声“嗐”了一声站起就走。妈妈叫住了他：“干什么去？”“玩会儿去，在家呆坐着没意思透了！”哥哥站住脚说。

“一个星期就这么一个晚上和爸爸妈妈在一起，你还要玩去？”

妈妈的话使哥哥只得又转身坐下。他见爸爸呵呵笑，便问爸爸：“爸你坐过牢吗？”我霎时明白了他的意思，不禁笑着说：“我坐过。”哥哥也笑着：“什么滋味？”“反正、反正特别难受。喏，就像现在这会儿似的。”爸爸笑了，他把报纸翻了个面说：“坐牢可不比坐在家里呀！”哥哥说：“坐牢还有放风呢。”

“哈哈哈！”我不禁大笑起来。妈妈似乎听出了一点味来，在椅子上活动了一下身子，说：“你呀，小丽，就嫌管你管得严了，恨不得没人管你才好。”我不高兴了：“当然了，您光想让我像家庭妇女一样在家闷着。”哥哥帮忙了：“这点我支持小丽，妈妈老把我们关在屋里，上街还要领着。我们是青年人，能和你们老头老太太一样吗？”“就是，你没过过年轻时候吗？把人都快憋傻了。”

我和哥哥一唱一和地攻击妈妈，妈妈半晌没说话，忽然她问我：“小丽，那天和你说话的是罗玲的哥哥吗？”“哪天？”我一时没反应过来。“五一那天，我怎么从没见过他？”噢，妈妈还记着呢：“你没见过的人多着呢。”“你可不能在外面乱认识人啊，我们医院吴大夫的女儿就让流氓给追上了，现在，连管也管不了啦。”哎呀，这说到哪去了，真恶心！我又急又气：“那就是罗玲的哥哥，您不信调查去呗。”“不是指那件事，我是叫你注意些。”

闹了半天，这就是妈妈把我管得这么紧的原因！要想了解这件事的首尾，还是从我偷看《安娜·卡列尼娜》说起吧。

五一的头一天，我放学回来，把房间收拾好，坐在我自己的桌子旁，摆上一大堆作业本。我估计妈妈今天回来得要早，预先摆好学习的架子。然后，我偷偷跑到哥哥的房间里，从枕头下摸出本书。我早就发觉他每晚等妈妈睡觉后，开着台灯看书，从钥匙眼里也看不清是什么书。不过，肯定是有趣的书。

我捧着哥哥的书，溜回我的屋里，兴奋得心里猛跳。我坐在床上，小心地翻开第一页："《安娜·卡列尼娜》！"我惊喜得差点叫出来。常听人说，这是一部外国的好作品，可总也借不到。爸爸倒是有一部，妈妈却给锁起来了，对我说："年轻女孩看什么《安娜·卡列尼娜》？学不出好，老老实实看你的课本去。这些全是封、资、修的东西，现在都不出版啦！"所以，我直到今天连《安娜·卡列尼娜》的边也没摸过。我先跑上阳台，看看有没有妈妈的影子。妈妈这会还回不来，我便舒舒服服地坐下，低头看起了书。长期没有书看，一看到这样感人的书，那贪婪劲活像要吃了它。

我津津有味地读着，不时地翻翻后边，想看看书中人物的结局和事件的发展，一点也没注意妈妈竟悄悄地回来了。她一眼认出我读的是《安娜·卡列尼娜》，急了，一下扑了上来，"哗啦"将书一把夺了过去："好啊，回家来不好好做作业，偷看这些禁书来了。你不要脑袋了？你没看报纸上成天都在批这些书吗？"我先是吓了一跳，后又气得不行。

我嚷嚷着："看看怎么啦？他们还能砍我脑袋！我看不出它有什么毒来！"

"唉——"妈妈叹了口气，"我不是和你说过吗？不要看这些书，看这些书是犯法的！"我垂头听着，心里不太服："看这样的好书也犯法？这是哪家的法呀！""你还有理！你呀，真叫人操心。当时你姥姥就没为我操这么大心。""你那时还不知道革命呢！"我顶嘴道。"你不用厉害，明天给我待在家里，哪也不准去！"

五一也不让出去玩，我气得眼泪禁不住在眼里打转。我忍住泪一扭身跑回我的小屋。

正在这时，门开了，爸爸回来了。哥哥跟在后边。一进门，爸爸就说：“老辛，说孩子那么大声干吗？邻居都听到了。”“噢，你回来了，你来批评批评你的宝贝女儿吧。”

说心里话，我喜欢爸爸。他是在部队搞政治工作的，和我们兄妹常聊天。不管我们对国内外政局形势的看法是多么的幼稚，他总是正正经经地和我们讨论。当然，不免要开些玩笑。我们和爸爸的关系是愉快的，随和的。爸爸是主张我们多看些书，多接触些人，开阔知识面的。但妈妈总以我们的年轻、幼稚为理由来阻止，鉴于当时社会上流氓成群的混乱局面，爸爸也不太放心让我们乱跑。所以，也就和妈妥协了，但还是指点我们看些文学作品。

爸爸放下皮包，走到我跟前，摸摸我的头发：“小丽又犯错误了？”不知道别人有没有这种感觉，当你受了委屈，本来是忍住了泪水，但只要一个亲近的人一句不管什么话，就会打开“决口”。爸爸话没说完，我的眼泪就成串地滚了下来。

爸爸看我这样，反倒呵呵笑了起来：“哟，这么严重，谁委屈你啦？是不是妈妈？告诉爸爸。”我抽泣着光点头说不出话。

妈妈推了下爸爸：“你怎么回事？这孩子看起《安娜·卡列尼娜》来了，你说像话吗？”

哥哥刚要说什么，被爸爸拦住了，爸爸说：“愿意看《安娜·卡列尼娜》好啊，不错嘛，你看得懂吗？”我擦了擦眼泪，说：“那有啥不懂的。”爸爸搓手说：“你有这个要求不坏，可是，你为什么不通过合法渠道来读呢？向我们申请，怕妈妈说你，不要紧，妈妈还有不关心女儿的？你的斗争艺术性差点，哭鼻子是一种手段，但不一定达到目的。你应该向妈妈讲清你的理由啊，我担保，她会同意的。”

我撅着嘴说：“我跟妈妈提过好多遍了，她根本不理。”妈妈不满地对爸爸说：“你怎么好同意孩子看这些禁书？”爸爸笑着对妈妈说：“这些禁书可不是坏书啊！孩子嘛，求知欲旺盛，我们应该支持。看《安娜·卡列尼娜》，他们不一定能全看懂，是有些危险性，但为知识而冒险，何乐而不为？我们也可以指导他们嘛。当然，这些书得藏在家里看，拿出去让某些人看见，那可是有点麻烦的！”

爸爸见妈妈要反驳，便急忙截住说：“今晚暂且休会，明天游园去。”他从兜里掏出几张游园票，挥着。爸爸很注意方式方法，从不在我和哥哥面前暴露他和妈的不同“政见”。他很照顾妈妈的自尊心，他也知道，当着我们，妈妈决不会让步，便挂了免战牌，妈妈也不好再争了，对我说：“把功课做完。”和爸爸一道出去了。

第二天早饭后，我在衣柜里乱翻，挑出一件爸爸给我的女式的确良军上衣，这是我的“大礼服”。我没有什么式样新颖、颜色娇嫩的衣服，我也不敢穿，怕人家说我臭打扮、“业余华侨爱好者”。军装挺帅，又大方，又不土气。我正要往身上套，坐在一旁用绒布擦眼镜的妈妈说话了：“小丽，别穿军装。”我不让她听到地嘟囔：“管着吗？”一面继续穿。妈妈把眼镜戴好，站起来说：“不要穿军衣嘛，穿那件墨绿条绒上衣多好。”我对妈妈真是不满到顶了，什么都干涉。我怒冲冲地说：“穿军装怎么啦？”“你没看有些流氓专门跟穿黄军装的女孩子过不去吗？”“我不去了！”我一赌气把军衣扒下来，往床上一抛。

爸爸皮鞋“咔咔”地走了进来，满面春风地对我们说：“你们整好容没有？”妈妈说：“人家又不去了。”爸爸惊讶地看着我，我扭过脸说：“我功课还没做完呢。”“嗐——回来再做，快换衣服，九点就开始了。”

妈妈把那件只有小丫头才穿的条绒上衣拿给我，口袋还绣着小鸟呢。我把它拨拉到一边去，翻出件“学生蓝”穿上了，要不是看在爸爸的分上我就真不去了。

五一这天的天气，可以说好极了：天空蓝蓝的，有几朵棉絮般的白云；整个天安门广场被太阳照得亮堂堂的，天安门城楼的金色飞檐一闪一闪地反着光，耀人眼睛；从劳动人民文化宫到中山公园的宫墙上，各色彩旗呼啦啦地迎风舞着，和苍松翠柏，交相辉映；金水桥畔，五颜六色的人群挤来挤去；从中山公园敞开的大门可以看到公园里花团锦簇，悦耳的音乐声飘了出来，在广场上扩散、回荡。由于入场的人太多了，我们全家便站在列宁和斯大林的画像下面，等会儿再进。

“小丽，你也来了。”我一抬头，呀，一个高高的男孩子笑容满面地站在我面前，我红了脸。是罗玲的哥哥罗新，罗玲是我的好同学。我不大自然地笑着说：“是你呀，罗玲来了吗？”“来了，她在那边呢，你叫她吗？”“不，我是和爸爸妈妈一起来的。”我指了指爸爸妈妈，催罗新说，“你快找罗玲去吧。”

爸爸发现了我们，他走过来笑微微地问我：“这是同学？”我还没来得及摇头，他又对罗新说：“和我们一起进去吧？”“不啦，叔叔。”罗新笑着扬了扬手，跑了。妈妈这当儿也走了过来，问我：“这是你的同学吗？”“不是，是罗玲的哥哥。”妈妈似乎有些怀疑地望了望罗新的背影，一边又瞧瞧我的表情。我真烦死妈妈这一套了，什么事都好像需要研究研究，挺警觉的样子！……

今天晚上，妈又提起了这件事，不由我不气。我想起妈妈平素对我的苛求，想起爸爸许多美好的允诺被妈妈无情地打消，我忍不住了，泪水和着我激动的话语一起倾泻出来：“有什么可注意的。我也不是犯人，成天不让出去，小说也非得看新版的；和同学们玩也要拦，还说那些恶心话！你可以把罗新找来对质嘛！”长期来的委屈、不满都聚集在嘴边，反而说不出来了。我的话哽咽住了，只有泪水无碍地流着。妈妈要是骂我，我就骂她，不在这个家啦，退学，到遥远的地方去，让他们找我，他们准会着急的，到那时他们才知道“虐待”我是多么不应该。一想到和家庭决裂时的情景，我的眼泪更止不住了。

妈妈奇怪地沉默了，哥哥害怕地一会儿望望我，一会儿看看妈妈。屋里很静，只有电视屏幕上演老头的演员在刺耳地叫喊着：“没有事啊！”我一下把电视关上了。

爸爸放下了报纸，用相当严肃的目光看着我。他大概也没料到我会突然“爆发”这一堆话。我不指望他对我说什么好话，尽管爸爸常站在公理方面，但我和哥哥即便是再有理，他也不帮我们“围攻”妈妈的。爸爸开了腔：“这么说，你认为你不幸福啦？”“不幸福，我都想逃走。”我坚决地说。“你认为这是妈妈的错？”“当然是她。”“那么你想看什么书？现在社会上让看的只有那几本新出版的书啊！你感到生活无聊、枯燥，把这归结于妈妈不让你出去，可你出到我们这个小家庭外面，又能获得些什么呢？妈妈有责任，她对你的教育有问题。是的，你觉得现在的生活很单调，这是实情，但不能怪妈妈。”“怪谁呀？”“怪……”爸爸眼里忽然射出了一道怕人的光，他从牙缝里挤出几个字，“怪他们。”

看爸爸激动了，我胆怯了，刚才的勇气溜得无影无踪。我偷眼瞧瞧妈妈，只见妈妈的眼睛充满了泪水。我觉得自己对妈妈太过分了，她毕竟是妈妈呀，她是爱我们的。我哭得更伤心了，但我没有认错。

爸爸说不怨妈妈，可他到底也没说怨谁。从那晚以后，妈妈的话少多了，她不像从前那样盯着我了。可我一不在家，她还是坐卧不安，非要四处转转，找找我，待见到我，又忙说："你玩吧，我没事。"这样一来，我的心里倒不安了。确实，尽管我比从前自由得多了，然而仍是很没意思。过去我出来的机会少，一跑出家，什么都有趣；现在看来，也就是那么回事：除了跳跳皮筋，说说话，也没什么可干的。爸爸柜子里头只有《安娜·卡列尼娜》等几本旧书，那还是爸爸偷偷藏起来的。这几本书，没几星期就看完了。有时偶尔在同学家里找到一本破烂的旧小说，像《红岩》、《青春之歌》之类，真是如获至宝。但这种小说也不是能常得到的，而且还得偷偷地看。

每逢我无聊至极，在椅子上呆望着窗外无垠的蓝天时，脑海里老翻腾着那天晚上爸爸最后说的那些话："你们是活泼的孩子，我们却把你们关在屋里。这是为什么？现在社会上，有些情况反常，好人吃不开，坏人却香得很！所以流氓、阿飞不少。我们是担心把你们放出去会上当吃亏啊！我知道，像你们这么大的孩子，对文化生活的需求往往大于对物质生活的需求。是的，今天的年轻人，仅仅不愁吃、不愁穿是不能叫他们满足的。你们，年轻人的生活应该是丰富的，有趣的，充满了歌声和笑声的。你们享受不到这些，我们，做父母的同样很难过，尤其是当孩子把这一切归罪于我们的时候。"说到这里，爸爸顿住了，眼睛有些潮湿了。他竭力抑制住自己的感情，用尽可能平缓的声音接着说，"是谁造成了我们青年的道德水平下降？是谁造成了我们社会主义文艺园地百花凋零？你们应当好好想一想啊！在我们国家里，青年们的这种生活是不正常的，而不正常的现象是绝不会，也不可能永远存在的。你们应该相信爸爸妈妈们，我们会努力使你们——我们的孩子们重新幸福起来的。难道我们革命的目的不是为了免除下一代的苦难吗？”

爸爸的话曾让我哭了好几天，不是伤心，而是感动。我相信爸爸的话，也不气妈妈了。我静静地等待着，等待着那百花吐艳的春天。

（原载《解放军文艺》1978 年第 11 期）

海鸥的故事

一

又是一个月盈之夜，潮水退得很远很远。我们炮艇的桅杆几乎与码头拉平。防波堤内人影憧憧。到处亮着一簇簇微弱的灯光，间或听到有人愉快地呼喊。全大队放假的弟兄都在那儿挖蛤蜊、螃蟹。这些家伙瘾头很大，又都是老手，一会儿工夫，运气好的便能端回一脸盆。只要把张嘴吐沫的“海货”放到电炉子上一煮，什么作料也不用放，不消五分钟，海鲜的味道溢满全室。这时，蛤蜊就会乖乖打开它坚硬的外壳，露出软软的身体。螃蟹则一个个通红通红，像名厨师炒上的糖色。

我是全艇最无能又最贪吃的一个。常常一个也摸不着，便挨个舱室去嗅，涎着脸皮噌别人的劳动果实。我顶爱去又准回回不扑空的是卫生员杨军的房间。他从小就是个专吃山珍野味的能手。据他讲，什么知了、麻雀、青蛙……各种令人毛骨悚然的玩意儿他都吃过。猫肉是酸的，我就是听他说的。我敲开他紧紧锁着的门，从他装得十分坦然的脸上便知道这回又稳拿了。我看看电炉上吱吱冒着气的消毒锅问他：

"消毒哪？"

"对，煮几个针头。"

我掀开锅盖，满满一锅螃蟹："杨军，你缺大德了。你再拿这锅煮针头，往我们屁股上扎吗？"

"这是个坏消毒锅，你别诬陷。你不就是要吃吗？没不让你吃。"

我制住了杨军。大模大样地从裤兜掏出筷子，夹出一个最肥的撕掳起来。杨军平素在吃的速度上是不让我的，今天却格外斯文，任凭我拣最肥的吃，毫不着急。他拿出一溜小药瓶，又把消毒锅重新坐上，把小药瓶里粉末往锅里倒。那是他储存的油、盐、酱、醋、糖。说是在街上买的，我极怀疑他是从伙房"牵羊"来的。

"鸡！"我又惊又喜地看见杨军从倒扣的脸盆里，拿出一只退了毛的类似鸡的禽类。

"自由市场买的，还是伙房——牵来的？"

"吃的时候你再猜是哪儿来的。"

"这不是鸡。"这东西肌肉十分强健，我只咬了一口，肉丝便塞进了我的牙缝，"究竟是什么，杨军？"

"星期天，我带你去。"杨军得意地咂着一只膀子。

我知道杨军是在吊我胃口。对付他的最好办法就是不要装得兴趣太强烈。我没再问，和杨军赛着啃光了每一丝肉。肉是很鲜美，却带着一点腥味，晚上睡觉时我暗暗想，这肯定不是家禽。

二

星期天，阳光明媚。我和杨军各背一支枪假装去瞄靶。诓了艇长几句表扬，扬扬得意地沿着防波堤往里走。这儿有一个小小的水泊，是涨潮时从防波堤漫过来的海水淤积在低洼处形成的。

水泊虽浅，却保持住了原本的颜色，蓝蓝的。当然不及海水蓝得那么耀眼，更近似于天的颜色，夏日晴空的那种淡蓝。它的边缘还生长着一些稀疏的芦苇，使它更像一个名副其实的湖。

这儿看不见港内的各种船只，也听不见各种港口机械的轰鸣。微风吹过，苇叶摇曳，白云在你头上，海水在你脚下，是我们码头——这个机械世界的一小块乐土。

“看见了吗？知道吃的是什么了吧。”

在杨军手指下，其实不用他指我也注意到了。这儿原来是海鸥栖息的地方，成群的海鸥散布湖中，三三两两互相啄食，一派悠然自得的宁静画面。不时从外海飞来一些随轮船一同进港的倦鸟。又不时，整休已毕，精神饱满的生力军扑腾而起，追逐着出港的轮船而去。像一支以此为基地的城市游击队，轮番、有节奏地执行着任务。

“它们可真会找地方。用枪打吗？我回去拿子弹。”

“不行，艇上该以为特务登陆了，用这个。”杨军背上枪，从裤兜里掏出一只牛皮筋弹弓，“这家伙送过无数鸟的命。”他吹嘘着。

我们悄悄接近了湖边，杨军装上一个小石子，眯起一只眼，像真正的猎人那样沉着地放了一下。我看见一只海鸥一下瘫在水里。

“让我打一下。”我高兴地喊起来，“我打枪比你准。”

“这跟打枪不是一个劲儿。”杨军大方地把弹弓给我，对自己的成绩很满意。

这些海鸥似乎没被我们的袭击所惊动。只有离那只中了弹的海鸥近一些的飞了起来，盘旋几圈后，又落回水里，有点不安地四处巡视。看见我们俩又把头扭向一边，没把我们与它们同伴的突然受击联系在一起。这些头脑简单的动物，它们就像一群互相不太熟识的亲戚，彼此静静地站立水中，没什么话说。我瞄准一只正低头梳理羽毛的海鸥放了出去，小石子在它旁边溅起清亮的水花。它抬起头，不解地望着我。在它的眼睁睁之下，我又举起弹弓。这时，在我们谁也没注意的情况下，一个老头摸了上来，我还没来得及放第二下，左胳膊已经重重地挨了一拐杖。

我看了眼表蒙子没碎，便加入了与老头的激烈搏斗。狂怒的老头用他多结的手杖把杨军打得无法招架。我哗啦拉开枪栓，指着老头喊："不许动。"

老头愣了一下，转身又向我扑来："我揍扁你这个小子。"

我后退几步喊："站住！老特务，你敢暗害解放军。"

杨军见状忙喊："别真开枪呀。"

"我没子弹，吓唬吓唬他。"

我边喊边跳起来躲开老头扫过来的棍子，腿上早挨了一下。这老头怕是练过武，我做了个用刺刀扎老头的动作，掉过枪托子给老头胳膊一下，打掉了他的拐杖。老头劲儿也使大了点，坐了个屁股蹲儿。老头破口大骂：

"你们两个小国民党，伤天害理，给解放军丢人，弄脏了这身军衣。"

"是你先打我们的，你别忘了。"

"打你们，我怎么不打别人？你们两个小坏蛋，当初就是少挨了你们老子的打。"

"你别胡说，老头。"

我跟杨军看见老头从地上起来，走了两步，一拐一拐地捡起拐棍，原来是个瘸子。我们面面相觑。杨军说，还是跑吧。我俩撒腿就跑，老头跟在后面喊：

“你们两个坏小子跑不了。我知道你们是炮艇的，非找你们领导不可，让你们检讨。”

“你不找你是什么？”我边跑还边回头嘴硬了一句。跑出一段距离后，我又看了看表，表走得还不错。“这老头手真黑。”我抱怨地问杨军，“老头干吗打咱们，你招他了？”

“我招他干吗？”杨军也不高兴地说，“我根本不认识他，打的那只海鸥也没捡。”

我们停下来，扫兴地回头去看，只见老头挽着裤腿，一瘸一拐地下水去捡那只瘫在水里的海鸥，惊起一片白色的鸥群。

“便宜老头了，他是不是因为咱们打海鸥呀？”

“海鸥又不是保护动物。老头弄不好是个精神病人。”

晚上，看到电视国际新闻里，一些外国保护野生动物的组织成员往海豹身上刷油漆，我蛮有把握地对杨军说：“老头也是绿党。”杨军闷闷不乐地哼了声儿。过了会儿，他跟我说：“我刚才看见老头上艇了。”“上就上呗，他先打的我们，我们有理。”我故作镇静地说。

指导员来到后甲板，踅摸了两眼，点我和杨军出去。杨军跟在我后边说：“我那份入党申请书白交了。”

三

我拎着两盒小赵探家用的点心，杨军提着一网兜伙房作价的苹果，艇长、指导员跟着，灰溜溜地走着。正是早饭后小扫除，各艇的水兵都在冲甲板。真是好事难出门，坏事传千里。就这么一晚上工夫，我和杨军与老头打架的消息，整个码头都知道了。也不知怎么传的，传达中央文件慢着哪，那帮乐不可支的水兵都站在甲板上看我们笑。在大队部门口碰上了大队长，他打量我们俩一眼说:“是你们二位呀，勇敢。行了，别给我敬礼啦，快去吧。”

老头的住处是内堤与公路交界处的一幢小小砖房，房子四周种了一些高大的刺槐，还有几株一字排开的细柳。枝条娇嫩。房子十分颓败，却还结实。原先我外出去市里，路过此地，见过这幢小房子。我还以为是幢空房子。

我们进屋的时候，老头正抱着一只白鸟喂它喝水。屋里光线很暗，看摆设是劳动人民住的地方，都是些古老重色的家具。

“大爷，我们给您赔不是来了。”我干巴巴地说。

“这是怎么说的，首长。我可没提这一条。”老头跟指导员着急地说，“还拎着匣子，谁花的钱？把我当老爷子啦。”他坚决不收礼品。搞得指导员有些尴尬，连忙解释说应该这么做。杨军也说:“我们揍了您，破坏了军民团结。”

“那能算打？你们不也挨我两拐。我不算什么，我也不是因为你们冲撞了我。”

“我们错了，以后不打海鸥了。”我痛心地连连说。

老人呵呵笑了，拍拍我的头:“别看你们穿着军装，人面前要叫声解放军叔叔，可在我看来，还是淘气的孩子，可别学社会上那些坏枣。”

我和杨军连连答应。艇长乘机进言，东西既然买来，还是请老人收下。老人爽快地说:“那就收下，算我请客，一人一个。”他硬把苹果塞给我们，指导员使了个眼色，我们也只好啃了起来。屋里的空气变得融洽了。

刚才说话时，我就注意到老人手里的白鸟十分可爱。圆圆的白头，眼睛骨碌碌地转，十分活泼。在老人的大手里显得温顺又羞怯。每当和我的视线相对时，便羞答答地扭开头，不一会儿，又偷偷从另一个角度看人，活像妈妈怀里认生的小姑娘。

“大爷，这是您养的鸽子？”

“傻小子，模样都没认清，还打呢。这是你们俩打伤的那只海鸥。让叔叔看看你。”

我双手接过老人手里的海鸥，握着它温暖的小身体，心里很惭愧。过去，我只见过展翅翱翔或远远矗立水中的海鸥。在杨军房间里看到的则是一个秃秃的脑袋。没想到它的模样会这么秀气：小鼻子小嘴的，怪惹人怜爱。它似乎有些怕我，扑棱着翅膀向外挣扎，冲着老人呦呦叫，我想握得紧点，不想弄疼了它。杨军那一弹弓打坏了它的一条腿，老人已经给它包扎过了，但可能没清洁好，有些炎症。它疼得身子微微发抖，伸着尖尖的嘴要啄我的手。我忙松开它，杨军要接，它却更厉害地扑腾起来，大难临头般地尖叫。还是老人接过去后，它才安静下来，惊魂未定地一会看看我，一会儿看看杨军。

“它对你们俩印象不好。”指导员笑说着，我和杨军脸都红了。虽明知是玩笑，心里却十分难受，难受得要命。

“它，没事吧？”我怯怯地问老人。

“唉，”老人叹了口气，“全靠它自己了，不比人啊，”老人心疼地抚着海鸥，“就是人，挨这一下也受不了。它发热哪。”

回艇的路上我情绪不高。晚上睡觉，梦见一只白色的海鸥，无声无息地在天上飞。

四

天气已经有些凉了。我惦记着小海鸥，不知它的腿好了没有。

我这将近二十年的生涯中，除了爸爸妈妈，好像还没有别的什么叫我这么牵肠挂肚过。我有时自己想，这是不是父爱呢？

晚上，我一闯进老人的小屋，就预感到情况不妙。老人呆呆坐在灯下，怀里轻轻抱着海鸥。

小海鸥耷拉着脑袋，紧闭着圆圆的小眼睛，静静地一动不动。老人没有什么药，光给它上红药水，染得一条腿红红的。

我摸到它冷冰冰的身体，伤心地大叫："它死了？"

老人一言不发，难过地看着我，那眼神流露着痛苦和微微的责意。我从老人怀里粗鲁地夺过海鸥："不，它没死，让我找医生去，它还能活。"

我转身冲出了小屋。

杨军已经睡下了，给我开门时，他吃了一惊："你把它抱来干吗？"

"它快不行了，看在咱们老交情的面上，快找指导员去。我跟他说，要么我付钱，药费算我的。"

杨军没说话，接过海鸥，放到桌上，拧亮台灯。

"体温一点都没了，身子冷冰冰的。得给它注射强心针，注射肾上腺素，升高血压。吗啡、可卡因……"

"闭会儿嘴吧。"

杨军转身冲我大叫。气冲冲地打开药柜，拿出一盒针剂，敲碎安瓿，把一支支生理盐水注入安瓿稀释。

"你放那么多水干吗？得给它剂量大点，你听见没有？"

"你不懂别这儿瞎搅，这剂量打给你，你都得马上喷出血来。"

杨军不紧不慢地兑着生理盐水。我退到一旁，看着荧光下的海鸥。可怜的小生命，它这会儿一定想起爸爸妈妈了，我多希望它能度过这一关呀。

窗外，开始下小雨了。不知为啥，我觉得这夜色很熟悉，十年前的一个夜晚也是这样，但那是个星星闪烁的晴朗夏夜……

我爸爸那个单位撤销了，营房移交给海军后勤部。楼里的人家陆续搬到城里，很大的一幢楼里黑洞洞的，楼道里的灯泡也全给打碎了。但那天的月色十分皎洁，月牙低低挂在树梢。我去厨房倒了杯凉水，回到阳台上边喝边想哥哥。他今天肚皮上开了一刀，割下一截肠子，觉得挺好玩。不多会儿，楼下响起自行车轧轧声，一个军人骑车过来。我随手把杯中水倒了下去就缩了回来。楼下传来气愤的叫骂声。我开心地笑了。等叫骂声平息后，我又蹑手蹑脚去厨房倒了杯水，躲到阳台根下……那天晚上我往四个人身上浇了水。

四年后，爸爸妈妈回家了。家里又恢复了从前的宁静。只是妈妈说我不像过去那么听话了，而且爱幸灾乐祸，连妈妈不慎扎破手指头，我也要得意地笑上半天。

我不知道我为什么今晚会想起这件事。这十年，我早把那个晚上忘得一干二净。这十年，我自扪还算个好孩子，没像有的同龄人那样变成不可救药的小坏蛋。可是，是不是人就一定越长大越失去童年的真挚呢？要没十年动乱，我能不能比现在更好点呢？不知道，我真的不知道，叫人后悔的事太多了。

五

早晨，雨停了。薄薄的海雾散去后，海面上出现了一轮红日，万道霞光洒在欢快跳跃的万顷碧波上。

我下了武装更，回到舱室。我们班的几个战士，正提着裤子围在一堆看我的海鸥。

“喂，快来瞧！海鸥动了。”

我分开众人，看到小海鸥盖着我的洗脚毛巾，脸贴着毛毯香甜地酣睡，不时动动小巧的头。

“毛毯有点扎。”

“它才不怕呢，瞧它自己那一身毛。”

我小心翼翼地摸了摸小海鸥，心儿快乐得差点没跳出嘴。它又恢复体温了。老天爷，这么说，它活过来了，我百感交集，差点没当众哭一鼻子。

“你应该给它营养营养。”三七炮班长郑重其事地向我建议。

“给它喝牛奶，我高烧脱水那次，医生给我一气灌了十多斤呢。”一个水兵插嘴。

“吹牛。”

“真的，骗你干吗？”

我来到卫生室，拼命砸杨军的门：“嘿，它活了，你那一针真管用。”

杨军睡眼惺忪，整理着被褥，一点也不惊奇：“它没吃过什么好药，所以效果特别好。待会我再给它打一针青霉素，保险它完全康复，救就救到底吧。”

“打一针链霉素就行了。”我过意不去地说，“而且，也不知它过不过敏。”

杨军走去打开舷窗，清凉、爽人的空气立时充满全室。

“喂，杨军，你奶粉还有吗？”

准备去洗漱的杨军停住了脚步，歪着头问我：“怎么着，来劲了是不是？”

“救人救到底，你说的。我自己拿了。”

我兴冲冲调好奶粉，弄醒了小海鸥。它懒洋洋地睁开眼睛，迷惑不解地瞧着四周陌生的摆设。我把盛着奶的盘子放到它眼前，它用尖尖长长的嘴嗅了嗅，又挪开了，毫无兴趣地卧在一旁。

“我说什么来着，白费劲儿，它才不吃动物分泌出的液体呢。”站在一旁看热闹的杨军幸灾乐祸地说，“它跟咱们不一样，不是哺乳动物。”

“你说它吃什么？”

“垃圾，倒在海里的垃圾，臭鱼烂虾。它在吃的时候可不像飞的时候那么招人喜欢。你还是自己把奶喝了吧。”

“浪费不了。”我瞪了杨军一眼，这小子存心要把我这一早上的好兴致破坏掉。

“实际上，”杨军讪讪地走到舷窗旁，望着窗外愈聚愈多的海鸥说，“海鸥就是海上的麻雀。死一两只根本不足为惜，有的是，都一模一样。”

“要给你一支枪，我看你能把全码头的海鸥打光。”

“那——也无所谓。那句话怎么说的，少了谁地球照转。”

“要不是双眼皮，你就不活了。这话谁说的？你这臭美的家伙。”

“两回事嘛。”

“算了，杨军。你要不喜欢海鸥就算。谁也没捏你鼻子。你就别多嘴多舌了。”

“谁说我不喜欢海鸥？当然喜欢了，多好看呀。我是腻味你这种酸溜溜的情调。”

六

不管怎么说，我是不能把小海鸥饲养在艇上的。中午，大家都去浴场游泳，我抱着小海鸥径自来到老人住地。我忐忑不安地进了屋。

当小海鸥认出老人，欢快地叫着偎入老人怀中，老人激动得满面通红，不无幸福地将小海鸥轻轻托起，眼睛流露出醇醇温情，像是爷孙重相逢，止不住地喃喃软语。

“大爷，”我跟在托着小海鸥急急奔出屋外的老人后面说，“大爷，以后，还让我来看它吗？!”

“当然，当然。瞧我，高兴得都把你冷落了，要常来啊。”

大爷抖开胡子，露出笑得合不拢的嘴。他是由衷的高兴。

我们来到海边柳荫下，将小海鸥放到一块棱角尖尖的飞石上。任它蹒跚地在上面溜达，东张西望，寻寻觅觅。我不能不佩服这小禽兽，昨天它还病得像个快咽气的干瘪老太太，今儿，竟欲抖翅迎风起。终究伤痕没愈，难以平衡，心有余而力不足。可那兴致，撩着我和大爷也一扫数日来的忧郁，笑逐颜开。小海鸥越发得意，频频展翅，它是个爱炫耀自己的小家伙，有点像我。

我看得出，老头子已经挺喜欢我了。闲坐间，大爷给我讲了他亲身经历、颇似传奇的故事，深深感动了我：

五十年前，这儿还是一个渔港。既没有防波堤，也没有自动控制的灯塔，内堤一带是渺无人烟的荒滩。大洋上的风浪可以一直吹上岸来。一到台风季节，海水就会淹没一切。大爷就在这荒芜的礁滩上看守着一台点油的信号灯。那一年，狂风卷着海涛，吞没了他的小屋。大爷被困在灯塔上，三天三夜过去了，风还是刮个不停。就在大爷完全绝望准备死在这儿的时候，从海上飞来两只洁白的海鸥，围绕着大爷啾啾叫……

我是水兵，出过海，能理解在那种时刻，这两只海鸥会给大爷带来多大力量。我想，任何曾孤身面对大自然威力的人，不管他是在沙漠还是旷野，都体会过生物间的互相支持。大爷坚持了下来。两天后，潮水退去，生命得救了，两只海鸥却因力竭而掉在礁石上。大爷把它们抱回家，精心地照料它们，真挚地爱着它们，使它们得以重上蓝天。从此，每隔一段时期，这两只海鸥都要飞回来与大爷相聚，而大爷也离不开这海港了。

两只海鸥早已故去，大爷也已到了古稀之年。但在他眼里，这热爱眷恋的对象已变成千千万万海鸥中的每一只，就像老农民离不开一条忠心的狗。海鸥已成为大爷矢志不渝、形影不离的老朋友了。

这深情，我们这些年轻人是不容易认真体会的，常常还会有意无意地伤害它。我流了泪。

时间耽搁得很久了。大爷催我回去，我不愿走，让他们先走我再走，老人抱着小海鸥一瘸一拐地走远了，我在背后冲他们挥挥手，几分喜悦，几分惆怅。老头是好人，我心里想。我从小没见过爷爷，他死得早；也没见过姥爷，他死得更早；我认识的最大年龄的男人就是我爸爸。所以，我的印象里，老头大都是蜷缩在街头晒太阳或是浸在澡堂热水里过日子的人。现在看来，我实在是错了。

七

我给小海鸥起名叫“杨杨”，大爷也认可了。

“杨杨”的伤口完全愈合了。粉生生的新肉上布满纤细的绒毛。它已经完全消除了和我的成见，任凭我抚摸它光滑、蓬松的羽毛。每次出海回来我都去看它，带给它香甜的面包屑和新鲜的小鱼。听大爷说，它现在都有点想我了。若是我没去的日子，它就会一晚上唧唧咴咴叫个不停，最后带着失望的神情入睡。

每当晚霞染红天际，大海活像一幅整匹的绸缎，我就怀抱着“杨杨”，搀扶着老人，沿着长长的海堤漫步。那是我最惬意的时刻。我们走到海鸥聚集的湖畔，浅浅的水中落满白色的海鸥。空中，云蒸霞蔚的天上也盘旋着无数的海鸥。它们或平展双翼，成角度地慢翔；或响亮地叫着，大幅度扑打翅膀，自由地换向飞腾，显示它们在空中的自如。有的似乎有意地迎着血红的夕阳飞去，在强烈的逆光下，形成美丽的剪影。随着太阳的消逝，天空变成醇醇青色，天空的海鸥越来越少，湖中的白色越铺越满。渐渐地夜色愈重，白色愈凝，像是大块能发出夜光的料器。

每到这会儿，“杨杨”总是显得激动不安。尤其是当它的老朋友们友好地围绕我们飞翔，用它熟悉的声音叫唤时，“杨杨”的眼眶会变得晶莹、潮湿，也欧欧叫个不停。翅膀拼命抖动。而当夜幕降临后，我们沐着潮湿的海风往回走，“杨杨”便哀伤得一言不发，默默地偎在我的怀里，像哭累的孩子。隔着海魂衫，我能感到它的体温。

“杨杨”有了很多朋友。吃罢饭的水兵都爱三三两两地在防波堤上漫步、交谈。他们结识了“杨杨”，一只驯顺的海鸥，这简直像个童话。“杨杨”成了全码头的宠儿，水兵们送了它各种罐头、吃食。连大队长也来看它，送给“杨杨”一盒鱼干。

八

冬天到了，强劲的风吹干了小湖。海鸥追寻着暖流飞走了，但仍有一些勇敢的却坚持在这寒冷的海面上，对它们来说是故土难离。

我抱着“杨杨”随艇出海了，在“杨杨”的故乡——大海，送它重上蓝天。它已经彻底康复了。

冬天，天色由于阳光的惨淡而呈灰白，而海却仍然是质朴的蓝。只是失去了阳光照耀，不那么流光四溢，增添了一些浪谷涌尖的白沫。

“杨杨”看到它魂牵梦萦、日夜思念的海，不安地抖动翅膀，啾啾叫。炮艇的气流在我耳边呼呼作响，飘带、披肩迎风起舞，骤然失去约束的“杨杨”呆立了一下，接着它从我手中振翅而起，迎风直上。扇动着两只强健的翅膀，去尽情享受自己的自由。

炮艇像离弦箭般直插海洋深处。全艇不在更位的同志，包括杨军都站在甲板上望着“杨杨”。它落在后面。在茫茫无际，八面风响的海面上盘桓了一阵，毅然又跟上我们劈浪前进的炮艇。尾桅上的“八一”军旗几乎被风张平，带着呼啸“杨杨”像一个步履矫健的冲锋战士紧紧跟随着它。时而掠起，时而嘶鸣，尽情表达着它对我们——人的惜别之情。

“杨杨”会合了它的同伴，随尾桅欢快地飞着，我已经认不出那群一模一样的海鸥中哪个是“杨杨”了。

九

“杨杨”去了,我也要去了。我报考海军指挥学校已经被录取。指导员通知我十日内去学校报到，我倍觉老人令人依恋。我向指导员请假去岸上待会儿。指导员点点头，叫我去。

“学完，还想回来吗？”老人问我。

“当然。”我发自内心自豪地对老人说，“赶明儿，我开着航空母舰回来。”

“我见过，美国人的。那是国民党时代，就在前海沿下锚。

划个小划子去看，绕大舰一圈，收一角钱。再往前日本那会儿，也都把兵舰靠在咱们港口。兵舰可海了，欺负咱中国弱。码头边的老人儿，谁没受过洋水兵的气？别人不知道，我可知底。好好学去吧，小伙子，咱这舰可不算多呀！”

我黯然了，在如此老者面前，我还能夸什么海口？只有负疚、负疚！还有责任。

我们又来到干涸的小湖。往日微波涟漪的水面消逝了，留下一片低洼的沼泽，小湖显得空空荡荡，寒冷的风低掠而过，鸥群踪迹渺无，这曾经带给我许多遐想的小水泊暂时干涸了。但我相信，一到来年，春暖花开，潮水盈盈，它又会漾起一池清漪。就像小海鸥“杨杨”，不管它飞到天涯海角，飞得多远，终要和它千千万万的伙伴飞回到这里。毕竟这儿也留有它的美好时光。

我要去的地方很远，听说是个温暖、充满阳光的海滨城市。说不定“杨杨”也在那儿，那样，我们就又可以重新聚首了。我不眷恋洁白的沙滩，如织的游人，绮丽的都市风光。我期待着在春回北方，这儿也阳光明媚的日子，和我的“杨杨”一同回来。我喜欢北方海岸的峭壁巉岩，北方大海的汹涌澎湃，更主要是因为这儿还有我崇敬的老人，我们朝夕相处的战友和军舰。

老人的脸像一尊粗糙的泥塑。他凝视着海堤外宽阔的海面，胸膛沉重地起伏。

我知道你在想什么，我的老人。你还是有点放心不下。让我告诉你，就像五十年前你毅然留驻海边那时一样，当“杨杨”飞上天那一刹那，我的心也终生留在了这海边。我有过美好的童年，暗淡的少年。我将要尽力创造一个辉煌的青年。无愧于人也无愧于己。

随着太阳在海平面收去最后一线光辉，海水渐次动荡起来，高涨起来。像是硕大的太阳融入海中，海水沸腾了，溢起的海水远远地向岸边滚滚而来，愈来愈近，愈来愈猛，在岸边形成汹涌的怒涛，拍向海岸，溅碎成漫天水花。一波一波，无有穷止。

我和老人没再说一句话。

（原载《解放军文艺》1982 年第 8 期）

长长的鱼线

一

从贮水山鸟瞰，满坡密密匝匝的楼尖屋脊延至海湾，与泊满各式舰船的青岛港内的吊臂桅杆连成一片。一泓清水的胶州湾被一条长长的人工堤岸割开，湾外是水天苍茫的黄海。在堤岸中段有一块荒芜的地方：一行残柳，几幢颓房，孤零零地泊着一条钢架靶船，这是军用码头一处尚待开发的角落。每当潮水从外海涌来，这处死角就满溢浸岸，成为垂钓者的天堂。他们踏上摇摇晃晃的靶船，撒下上百个鱼钩，第二天清晨骑车来起钩，东边不收西边收，总能拽起几条斤重的鱼。

一天上午，一艘远来的扫雷舰靠上荒芜的码头。高大的舰舷上跳下一群操着外地口音的年轻水兵，他们在锈蚀斑斑的系缆墩上拴牢了钢丝缆绳，搭上跳板，放出武装更。正在下钩的人们忧虑地望着这些水兵，担心自己心爱的活动受到干涉。他们的担心是多余的，这些水兵对禁区内的老百姓没表现出多大兴趣。这条舰大概刚经过长距离的海上航行，面带疲惫的水兵们在军官的命令下整理内务，洗涤被呕吐物污渍的衣物，在码头晾晒。

傍晚，海面被落日染得血红，一个七八岁的胖男孩，手里紧攥着一卷白鱼线出现在码头。他上了靶船，笨拙地在钢架间跳来跳去，在林立的桅杆中挨个细看，失望地发现：每根桅杆下都拴上了细细的丝线。他犹豫再三，把自己手里的丝线系在第一根桅杆一条赭色丝线的上面，小心地将盘成卷的丝线松开，牵到船帮上。最后检查一下穿着饵的鱼钩，将钩扔进平静的海面。鱼钩被起伏的海水冲荡一下，然后带着银白的丝线笔直地坠入深水中。长长的丝线拽直了，男孩满意地站起身，四下张望一回，希望有人注意自己。海面、码头空空荡荡，没有一个人。他的目光落在近在咫尺、漆着蓝颜色的弓形舰首上，正遇上趴在舷栏上的一双大大的眼睛。

“小孩，能钓着鱼吗？”

“他们说能。”

“这地方还能有鱼？”

“鱼可大啦！”

“没看出来，鲨鱼吧？”大眼睛笑了。

“不是鲨鱼，都是能吃的鱼。”

大眼睛站直身子，胖男孩发现这是个很高的哥哥。他认为大眼睛算哥哥，因为他觉得大眼睛也像他一样有个圆圆的下颏，蓬乱的黑头发，光滑的双颊——叔叔都有胡子。但这个哥哥穿着一件叔叔穿的海魂衫，又站在军舰上，胖男孩踌躇了。他把脸仰得更加高：

“小兵叔叔，你帮我看着点好吗？”

小兵叔叔笑了。他觉得仰着脸的胖男孩很可爱：“你还怕有敌人？”

“嗯。”

“那你什么时候来起钩呀？”

“明儿一大早。哎，叔叔，第一根柱子上面的这根线是我的。”

“好，钓着鱼分我一条。”

“行。”胖男孩一边从靶船下来，一边慷慨大度地说，“第一条归我，第二条归你。”

他走上码头，看到军舰上的炮，羡慕地瞪圆眼睛：“小兵叔叔，我能上去跟你玩吗？”

“不行。”小兵叔叔笑道，“那个带枪的叔叔不让。”他指指背着手枪的武装更。那个水兵冲胖男孩做了个凶相。

胖男孩连忙走开，对小兵叔叔有点失望。

二

清晨，海雾萦绕，雪白的鸥群已在海面飞动觅食，这个码头死角尚静。靶船上蹲着一个中年人正在起钩。

刘小北在舰首擦甲板，墩布很重，拧得很干，绿色的甲板上像上了蜡似的熠熠闪亮。太阳破雾而出的时候，小北的脸上已沁出些微汗珠。他年轻力壮，并不累，反而由于痛快地出力干活，身心愉快。他无意地从舷栏向下看了一眼，想起胖男孩的嘱托。那个中年人正在挨个起钩，扫兴得很，都是空钩。中年人提了提第一根桅杆上的白线，沉甸甸的，有点晃，他迅速收起这根线，一条挣扎了一夜，疲惫不堪的鱼无力地在船帮上甩了甩尾，躺着不动了。中年人心急手抖地摘下鱼钩，撕裂了娇嫩的鱼唇。他抬头看见刘小北，犹豫了一下，坦然地将鱼塞进自己的塑料袋，还将白鱼线解下，连同自己的赭鱼线一齐卷好，跳上岸，慢悠悠地走开。

中年人的犹豫，曾使小北感到怀疑，但中年人绅士的外表和比拿自家东西还有理的相儿，把小北迷惑住。

上午军事训练，帆缆班的水兵们在后甲板临水舷排成行撇缆。黄澄澄的小铜坨左右环身飞摆，借着惯性脱手而出，画出闪亮的弧；雪白的细缆银蛇腾空，直奔数十米开外的海面；铜坨入水，细缆绷直，前冲力拽人倚栏。刘小北撇得十分带劲，渐入佳境，胳膊甩得酸疼。小北歇了，擦去满头汗，沿边舷走上前甲板，愣住了。胖男孩凄凉地蹲在靶船帮上，满湾金水映在圆圆的小脸上明晃晃，沉甸甸的泪珠一对对从他的脸上滚过，顺着脖窝流湿了胖胸脯上的小背心领口。

刘小北赶忙下了舰，踏上靶船。胖男孩扭过头，哀怨地看了眼小北，又回头，不理他。小北在胖男孩身边并排蹲下，同情地说：

“一次没钓着就哭呀。”

“鱼钩也没了。”胖男孩怨声怨气地说。

小北有点惭愧，问男孩：“你还有钩吗？”

“没了。”

“我给你钱，再去买一个。”

“不要你的钱。”

“你爸爸给你钱吧？”

“他给我钱只准我买书本，不让我买别的。”

“那就拿叔叔的钱吧。”

“不，我爸爸不让我拿别人的钱。”

“我又不拐你，是买鱼钩。老师告诉过你和解放军是什么关系吗？”

“鱼水情。”

“这不得了。你就拿着吧！”

胖男孩张开小手收下钱，破涕为笑。小北也笑了。

要知道，小北也从未钓过一条真正的鱼。

三

下午五点多钟，太阳温存了，刘小北远远看见胖男孩沿着柳荫蹒跚而来，隔着八丈远，就冲小北嘻嘻笑。

“鱼钩买着啦？”

“嗯。”

胖男孩伸出手让小北瞧，小北看见胖男孩手心上的一卷白丝线和闪闪发亮的鱼钩。他俩上了靶船，仍选定第一根桅杆为下钩的地方。胖男孩把白丝线在桅杆上缠了一圈又一圈，系了个死扣，小北说，这次保证看好。

“你明天可早点来啊。”

“我怕起不来。”

“放假还有事？早些睡。”

“晚上要做作业，老师留的和爸爸留的。”

“十点前能做完吗？”

“做不完，我脑子笨。”

胖男孩垂下头。小北看看男孩的大脑袋，捏了捏他硬硬的天灵盖。小北是过来人，深知其中的苦恼。他十岁时天天晚上梦见自己从所有学校毕了业，再也不考试。

“你爸爸不知道你出来钓鱼吗？”

“嗯。”

“知道了打你吗？”

“奶奶不让打，要骂。”

“小可怜，你也不会游泳吧？”

刘小北看着胖男孩肉滚滚、白乎乎的小肩膀，细嫩的肉皮儿被午后的斜阳晒得发红。胖男孩难为情地说；

“是我爸爸不让我游。”

“不怪你。可你将来怎么办呀？上大学？”

“我不想上。”

“对，上那个没用。”刘小北毫无原则地支持胖男孩自甘落后的想法，“好好学学游泳。不上大学没什么，不会游泳将来可无法立世。”

“叔叔你会游泳吗？”

“……不会。”刘小北丧气地说，“海军叔叔不会游泳，怪吧？”

“你爸爸也不让你游？”

“真聪明。”刘小北喜爱地拍拍胖男孩的头，“懂得真快！我爸爸和你爸爸一样——不怎么样。”

这一大一小因为说了各自爸爸的坏话，开心地咯咯笑起来。刘小北心里实际上并不快活。他小时候受到娇惯，被他们城市那个年年淹死人的湖泊吓破了胆，以致现在竟成了全舰绝无仅有的不会水的水兵，自尊心被破坏得一干二净。这会儿，弟兄们都在海水浴场里欢闹，他却在跟一个毛孩子闲扯淡。他结束了和胖男孩颇为投机的谈话，闷闷不乐地回到舰上。

四

晚上，海上起了风十分凉爽。小北站八到十点的武装更。海浪拍岸哗哗响，甲板有点晃，涨潮了，水涨船高，船舷高出码头，跳板倾斜得很厉害，码头一片漆黑，也不知哪个马大哈洗的水兵裤没收，挂在绳上，迎风作响。小北下跳板去收裤子，忽觉手枪带子被人轻轻拽了一下，定睛一瞧，是胖男孩，不觉诧异地问："你这会儿跑这来干吗？"

"我爸爸妈妈去看电影，我骗妈妈说串门，就找你玩来了。"

"胡闹！这都几点了。"

刘小北硬邦邦的话伤了胖男孩，胖男孩不高兴，耷拉下脑袋。

"快回去。"

"我看看鱼钩去。"胖男孩不理睬小北的命令，自己向靶船走去，小北一把将他拽回来：

"你没看见我正背着枪给你看着哪？你呀，真是蔫土匪！那么黑，你掉海里怎么办？"

胖男孩委屈地站住不动。小北觉得人家胖男孩一片真心来找自己，太厉害了也不好，口气缓和下来：

"你说路这么黑，你怎么回去？"

小北看到胖男孩手里握着一个大苹果，问道："这个苹果是给我的吗？"

"嗯。"

胖男孩把苹果举到小北眼前。

小北心软了。

他把苹果往裤兜里一揣，一拉胖男孩："走，叔叔带你上舰摸大炮，不过你可不能出声。"

实际上，用不着小北叮咛，胖男孩早兴奋得说不出话，只有一对眼睛在黑暗中闪闪发亮。

通往码头公路要走过空旷的低洼地，洼地被防波堤渗过的海水淹成一片沼泽，栖息着大群海鸟，发出咕咕叫声和扑打翅膀的声音，像是隐于天水之间的精灵在作响。人只能走在窄窄的内堤埂上，小北个子高，脸颊不时被柔软的柳条抽拂。咚咚的脚步声仿佛是一大一小两颗心的撞击声。胶州湾外的风掠过洼地，将盛夏的暑意一扫而光，小北裸露的手臂起了层鸡皮疙瘩。胖男孩一声不响地紧追着小北的步伐。

上了公路，前边有了路灯。

“我不送你了，顺着路灯走，别边走边玩。”

“明天见。”

胖男孩有礼貌地向小北告别，向前走去。他消逝在短暂的黑暗中，又出现在下一个路灯的光晕中，小小的身影越走越远。

五

半夜鱼儿趁着潮水咬钩时，下了一场断断续续的雨，早晨起来，地皮儿还有点湿。海雾很大，空气中带着凉丝丝的水汽儿。

中年人又在靶船上起钩了。为了保险起见，小北这回干脆不客气地站在他身后监视他。也许中年人感到了小北露骨的敌意，这次，他连碰也没碰白丝线一下。不走运的中年人又是一条鱼没钓上，他收拾起鱼钩，快快而去。小北蹲下来拽拽白丝线，丝线绷得很直，小北没有经验，也不知有鱼没有。算了，等胖男孩来了再提钩吧，就是没鱼，也赖不着别人。

胖男孩来到码头时，一块云彩遮住了刚露头的太阳，又下起小雨。胖男孩看到扫雷舰上的吊车吱吱呀呀放下一只舢板，小兵叔叔和几个海军叔叔跳下舢板，挥动又长又轻巧的铝桨，划入烟水朦胧的港湾。

刘小北他们绕着港湾划了一圈，回到舰上，棉织的海魂衫湿漉漉。他下到住舱脱下海魂衫，光着膀子打了盆凉水擦身。刚下更的炮班长走进来对他说：

“刚才有个挺胖的男孩让我告诉划船的大眼睛叔叔，‘今儿没上钩’。我想帆缆班就你眼睛大。”

“是我，”小北笑着说，“我知道了。”

“什么没上钩？”炮班长挺好奇。

“鱼呗。”

“噢。”

吃完饭，小北挺乏，加上今儿天气阴凉，一觉睡得昏沉，醒来出了身大汗。从舷窗往外一看，艳阳高悬，万里无云，这天竟又变过来。不能再睡了，小北起身洗把脸，上了甲板。武装更倚在栏旁晃头乜眼犯困，小北从他身旁走过，下了跳板，来到太阳地，立觉燥热。

“小兵叔叔。”

随着一声兴奋的呼喊，刘小北被眼前的情景惊得呆了。一只常年系在岸边的破木船被解了缆，胖男孩叉开双腿站在船中央，小脸蛋像煮熟的螃蟹，晒得通红。无橹无桨的木船已漂离岸，在靶船前的海面徜徉。胖男孩人小腿短无法跨上靶船，可他一点也不害怕，那表情似还有几分得意。幸亏这时海面平静，否则他会被小涌带得更远，刘小北没有犹豫，跑上靶船，估了估与木船的距离，一个健步跳上木船。破木船悠悠转了一圈，更多的水渗进船舱。胖男孩拍掌叫好，刘小北拣胖男孩肉多的部位——屁股，踢了一脚，不太重，胖男孩也没恼，很崇拜地看着刘小北。

“划水。”刘小北很厉害地命令胖男孩，胖男孩欣然从命。两个人用手划水，费力地将半沉的木船靠上靶船。

胖男孩上了脚下牢牢的靶船，这才显出有点难为情，不安地窥觑小北严峻的神色。小北从水里捞出湿淋淋的麻缆绳，牵着破木船走到最靠里的角落，把船重新系好。他转回身瞟瞟胖男孩，胖男孩像小绵羊一样顺从地站在一旁，听候发落。小北挥舞着两只长臂冲胖男孩大喊大叫：

“你知不知道这儿水深？你上那破船沉到水里还上得来吗——你跟小肥猪似的。”

“鱼又没钓着。”

“鱼没钓着也别玩命呀。”刘小北看出胖男孩有点不对头，问，“你中午回家了吗？”

“没有。”

“一直在这儿玩，中午也没吃饭？”

小北知道这么胖的孩子耐不住饿，反身上舰给他拿了个枕形面包，同时冷冷对胖男孩说：“吃完快回家，不听话以后不让你来码头玩。”

小北撇下胖男孩自个在码头上。

面包很大，胖男孩吃到最后吃不了，就把面包掰成一块块，扔到水面引海鸥啄食。他自己玩得很专心，连小北的有意冷落也抛至脑后。胖男孩没料到，他那个怒气冲天的父亲这时已搜寻到了码头，并远远发现了他。

刘小北在舱里看了会儿书，放心不下，又上到甲板看胖男孩走了没有。他吃了一惊，看到每天早上来起钩的中年人像拎小鸡似的把他的小朋友拎着走远，一大一小两个人影在海堤公路久久移动着，他认为中年人一路正在打那个男孩。

六

刘小北第二天拉起一条斤重的可怜巴巴的鱼，胖男孩却从此没了踪影，小北恪守第一条鱼归胖男孩的约定，用一个铁皮桶将鱼放在铺下养起，天天翘首舰桥盼胖男孩至，只见垂柳依依，堤埂寂寞。入夜，贮水山上下的市区，千家万户灯光通明。小北看着这通体晶亮，模型般的城市，一个胖胖小男孩的身影跃然脑海。总觉着他不会忘了海边码头他自己垂下的小小鱼钩，这小鱼钩如今孤零零漂浮于水中，无人起钩。胖男孩不来之后，小北也失去了钓鱼的兴趣——原本不就是为了胖男孩吗？

转眼白露已过，秋分将至，天气渐渐凉了，扫雷舰也准备起锚回基地过冬。水兵们纷纷登陆进城买东西，小北也请假进城。

回码头时，已是夕照满街。小巷人家摆出饭桌，年轻女孩儿穿着薄薄的衫裙坐着小板凳在巷口喧哗嬉笑，满街筒子下班的人群，夹着一二迟归的小学生背着书包匆匆而过。刘小北步儿缓缓地走着，下了一道长长的石阶，看见两个小学生谨谨慎慎地过马路，那个年龄稍长的女孩领着满脸稚气的男孩——胖男孩，小北眼睛一亮。女孩儿是个少先队小队长，脖子上系着红领巾，步子疾疾，手十分负责地攥着弟弟的手，一丝儿也不放松。胖男孩脸无表情，顺从地由人牵着走。

“嘿。”刘小北叫了一声，姐姐比弟弟先回过头，又好奇地看弟弟，弟弟愣了一下，随即喜上眉梢：“小兵叔叔。”他挣脱姐姐的手，向小北跑过来，沉重的书包一下一下拍打着小屁股，亲热劲感人肺腑。小北紧紧握住他热滚滚的手，又帮他把勒住脖子的书包带整好放在肩头。

“我想你。”胖男孩动感情地说。

“我也想你呀。”小北抚弄着胖男孩乌黑的头发，“你怎么不去码头玩，把我忘了？”

“没忘。”

“开学了？”

“嗯。”

“还记得我们俩的鱼钩吗？”

“记得。”

“我已经用它钓上鱼了，一条好大的鱼，你的。我把它养着呢，等你去。”

胖男孩眼里忽然充满泪水，鼻子一抽一抽，哭了。那天长水阔、鸥鸣声声的美好回忆牵动了他稚嫩的情愫。

束手呆立的小姐姐扭扭捏捏走上前来，重又拉起弟弟的手：“叔叔，我们该回家了。”

小北此时被胖男孩哭得十分难受，又无言以对，不由松了手。胖男孩被姐姐领着走了几步，回过头忍着泪对小北说：

“叔叔，你把那条鱼放了吧！”

小北满脸变色，再去看胖男孩，来来往往的行人遮断了他的视线。

一个清凉薄雾的早晨，像来时一样，年轻的水兵们解开缆绳，撤去跳板，发动了机器，扫雷舰隆隆卷着浪花，在钓鱼人们的目送下，离岸而去。甲板笔直站着一排帆缆手，杏黄色的出港旗在他们头上飘舞。刘小北倒背手站在行列里，看着岸上的残柳、颓房、人渐渐远去。离岸前，他已将胖男孩的那条鱼连水一起倒回海中，只听水声一响，鱼尾一闪，那条鱼像从未出现过似的无影无踪，只有碧水澄波摇金荡银……

扫雷舰双主机已同时工作，舰尾剪出宽阔的水迹，荒芜的码头角落已被繁荣的码头主体取代，岸吊成行，巨轮川流。港湾既出，海天苍茫，扫雷舰驶入水的世界。放眼所及，无不是怒海轻涛。在这一望无垠的万顷碧波上，唯有那缕缕不绝的白色水迹始终联系着他们驶出的那个港口，像长长的鱼线……

（原载《胶东文学》1984 年第 8 期）

王朔主要作品年表

【1978年】

《等待》（短篇小说）发表于《解放军文艺》第11期。

【1982年】

《海鸥的故事》（短篇小说）发表于《解放军文艺》第8期。

【1984年】

《空中小姐》（中篇小说）发表于《当代》第2期；

《长长的鱼线》（短篇小说）发表于《胶东文学》第8期。

【1985年】

《浮出海面》（中篇小说）发表于《当代》第6期。

【1986年】

《一半是火焰　一半是海水》（中篇小说）发表于《啄木鸟》第2期；

《橡皮人》（中篇小说）连载于《青年文学》第11、12期。

【1987年】

《枉然不供》（中篇小说）发表于《啄木鸟》第1期；

《人莫予毒》（中篇小说）发表于《啄木鸟》第4期；

《顽主》（中篇小说）发表于《收获》第6期。

【1988年】

《痴人》（中篇小说）发表于《芒种》第4期；

《人命危浅》（中篇小说）发表于《蓝盾》；

《毒手》（短篇小说）发表于《警坛风云》；

《我是狼》（短篇小说）发表于《热点文学》；

《各执一词》（短篇小说）发表于《文学故事报》；

中篇小说集《空中小姐》由中国青年出版社出版。

【1989年】

《一点正经没有》（中篇小说）发表于《中国作家》第4期；

《千万别把我当人》（长篇小说）连载于《钟山》第4、5、6期；

《永失我爱》（中篇小说）发表于《当代》第6期；

长篇小说《玩的就是心跳》由作家出版社出版。

【1990年】

《给我顶住》发表于《花城》第6期；

《王朔谐趣小说选》由作家出版社出版。

【1991年】

《我是你爸爸》（长篇小说）发表于《收获》第2期；

《修改后发表》（中篇小说）发表于《小说家》第4期；

《无人喝彩》（中篇小说）发表于《当代》第4期；

《谁比谁傻多少》（中篇小说）发表于《花城》第5期；

《动物凶猛》（中篇小说）发表于《收获》第5期。

【1992年】

《你不是一个俗人》（中篇小说）发表于《收获》第2期；

《懵然无知》（中篇小说）发表于《都市文学》；

《许爷》（中篇小说）发表于《上海文学》第4期；

《过把瘾就死》（中篇小说）发表于《小说界》第4期；

《刘慧芳》（中篇小说）发表于《钟山》第4期；

《千万别把我当人：王朔精彩对白欣赏》（王朔、魏人合著）由人民中国出版社出版；

《过把瘾就死》（著名作家新作大系）、《王朔文集》（纯情卷、矫情卷、谐谑卷、挚情卷）由华艺出版社出版；

《我是王朔》由国际文化出版公司出版。

【1993年】

《海马歌舞厅：四十集电视系列剧》（电视剧本选集）、

《青春无悔：王朔影视作品集》由中国社会科学出版社出版。

【1995年】

《王朔文集》（1—4卷）由华艺出版社出版。

【1998年】

《王朔自选集》由华艺出版社出版。

【1999年】

长篇小说《看上去很美》由华艺出版社出版。

【2000年】

《美人赠我蒙汗药》（对话集）由长江文艺出版社出版；

《王朔最新作品集》由漓江出版社出版；

《无知者无畏》（随笔集）由春风文艺出版社出版。

【2001年】

《文学阳台——文学在中国》、《美术后窗——美术在中国》、《电影厨房——电影在中国》、《音乐盒子——音乐在中国》等“文化在中国”网站系列丛书由上海文艺出版社出版。

【2003年】

云南人民出版社出版了其文集《顽主》、《过把瘾就死》、《我是你爸爸》、《玩的就是心跳》、《篇外篇》、《橡皮人》、《千万别把我当人》及《随笔集》。

【2007年】

小说集《我的千岁寒》由作家出版社出版；

长篇小说《致女儿书》由人民文学出版社出版；

小说随笔集《新狂人日记》由长江文艺出版社出版。

【2008年】

长篇小说《和我们的女儿谈话》第一部发表于《收获》第1期，并由人民文学出版社出版。

图书在版编目（CIP）数据

一半是火焰　一半是海水 / 王朔著. — 北京 ：北京十月文艺出版社，2016.6
（王朔文集）
ISBN 978-7-5302-1562-3

Ⅰ. ①一… Ⅱ. ①王… Ⅲ. ①中篇小说—小说集—中国—当代 ②短篇小说—作品集—中国—现代 Ⅳ. ① I247.7

中国版本图书馆 CIP 数据核字（2016）第 057133 号

一半是火焰　一半是海水
YIBAN SHI HUOYAN　YIBAN SHI HAISHUI
王　朔　著

出　　版　北京出版集团公司
　　　　　北京十月文艺出版社
地　　址　北京北三环中路 6 号
邮　　编　100120
网　　址　www.bph.com.cn
发　　行　新经典发行有限公司
　　　　　电话（010）68423599
经　　销　新华书店
印　　刷　北京盛通印刷股份有限公司
版　　次　2016 年 6 月第 1 版
　　　　　2022 年 10 月第 11 次印刷
开　　本　850 毫米 ×1168 毫米　1/32
印　　张　9.75
字　　数　210 千字
书　　号　ISBN 978-7-5302-1562-3
定　　价　46.00 元
质量监督电话　010-58572393